# 또
# 하나의
# 이야기

이 미 라

늘 감사하고
행복했습니다.
이책이 작은기쁨이
되어 드린다면
참 기쁠것 같아요.

# 또
# 하나의
# 이야기

LEE MI RA SPECIAL EDITION
또
하나의
이야기
1
이미라
학산문화사

L E E  M I  R A  S P E C I A L  E D I T I O N

**또 하나의 이야기 1권**

또 하나의 이야기 1권 9

그것은
반년 전의 일이었다.
네? 저더러 민제를 훈련시키라고요?
부탁한다, 슬비야. 외삼촌 좀 도와줘―.
흑…
하다 하다 안 돼서 네게 맡기는 거다. 자식이라고는 저 녀석 하나 있는데…
우리들로서는 더 이상 손 쓸 여지가 없구나.

네 외숙모도 딴 일은 칼같이 정확하면서 민제의 일만은 물불 안 가리고 감싸려고만 하니… 틀렸어.
저대로 두었다간 저놈 사람 구실 못하고 말지.
쯧!
당신은 자식에게 정도 없어요? 애는 하나뿐인 우리 자식이에요. 엄마가 보호하지 않으면 누가 보호합니까?
에그 내아들!
걱정 마라! 이 엄마가 우겨서라도 널 데리고 가마.
네, 엄마.
걱정되는 마마보이군. 한심해—.
안 돼! 이번만은 양보 못해. 당신도 정신 차려요! 그 애의 일생을 돌봐줄 게 아니라면 스스로 일어서게 둬요!
하지만….
귀한 아들일수록 더 호되게 키워야 해.

이 아비는
그렇게는 못하더라도
최소한 널
제 몫은 하는 인간으로
만들 생각이다.
사자는 벼랑에서
새끼들을 떨어뜨려
살아남는 놈만 데려다
키운다고 한다.
아버지가
2년간 외국 생활을
하게 된 것이
네겐 좋은 기회가
될 것이라고 믿어.
네 사촌 슬비는
너보다
생일이 좀 늦지만,
오히려 누나처럼
널 보살펴줄 테니
안심하고 널
맡기는 거다.
아버지…
어머니….

바로 이 남자.
나의 하나뿐인
외사촌 오빠
서민제.
때는 2017년.
남북통일 된 지
15년이 더 지난
평화로운 시대.
도무지 대책이 안 서는
이 남자를 위한
보모 겸 매니저 겸
교관 역할이 그날부터
시작된 것이었다.
L.D.S.TOWN
다시 한번
말하지만
페러렐 월드의
한국입니다.

전설에 의하면,
20세기 말
서울에 지극히
사이좋은 남매가
있었다고 한다.
그들의 이름은
이푸르매, 이슬비…
건방지게 누나라고 안 부르고 꼭 슬비라고 부른단다.
……….
야야! 왜 때려?
아아…, 글렀어.
백장미랑 결혼 하겠다는 황당무계한 꿈은 꾸지도 마라.
소문대로 냉정하구나. 가시 돋친 장미.
이번엔 내가 도전해 봐야지.
그들에게는
여러 친구가 있었고,
그들의 청춘은
햇살마냥 아름다웠다.
아냐, 내 진심을 알아줄 때까지 절대 포기하지 않겠어.

야, 예쁜 이름이다.
난 서지원. 출석 일수가 모자라 한 해 더 다니고 있어.
만나서 반가워, 정말.
그러던 어느 날, 이슬비는 가수 서지원을 알게 되어 교제를 시작했으나—
그 둘은 오래 전에 헤어진 남매라는 사실이 밝혀진다.
나의 누나에게 사랑을 담아!
파란을 겪은 후 한결 성숙해진 서지혜(이슬비)는 언제나 자신을 지켜온 흑나비의 정체가 푸르매라는 것을 알게 된다.
난…, 나는… 오래 전부터 슬비를….
슬비가 아냐.
그리하여 또 하나의 이야기 1권이 시작되는 것이다.

이푸르매
서지혜
결혼하다.

딸 이슬비 태어나다.

서지원
안혜자
결혼하다.

아들 서민제 태어나다.

이상록
백장미
결혼하다.

딸 이유채 태어나다.

조종인
진나영
결혼하다.

아들 조소헌 태어나다.

서민제입니다.
앞으로…
잘 부탁드립니다.
와아

꽃미남이
전학 왔어.
긴장해서
얼굴이 빨개.
귀엽다.
조소헌보다
몇 배 더
잘생겼다.
기대가 크면
실망도 클 텐데
걱정되네.
그리고…
그 순간은 10분도
지나지 않아 찾아왔다.
이 부분의 풀이는
누가 해볼까?
엉?
낯선 얼굴이 있네.
네가 예일에서
전학 온 학생이구나.
그래, 너 풀이해봐.
뭐 해?
어서 풀지 않고….
한번 시도해봐.

국어시간—
이 정도 고문도 읽지 못해서야 대학 가겠냐?
거 참—, 명문 학교에서 왔기에 공부를 잘할 줄 알았더니….
할 수 없군. XX 군, 풀이해봐요.
네!
물리시간—
X☆△!
???
정말 걱정된다, 걱정돼.
세상에… 저렇게 찌질할 수가.
총명하게 생겼는데 차돌이냐.
체육 특기생인가? 한 가지만이라도 확실하게 하면 되는 거지.

딱
딱
딱
딱
제… 제발
이쪽으로 공
보내지 마라…
패스해!
야, 전학생!
공 간다,
잘 잡아!
뚫었다!
슛—!!!
히익—!

골 먹으면 사망신고 해야 할 거야!
골키퍼—! 뻣뻣하게 서서 뭐 하는 거야—!
위치 선정 제대로!
간다—!
고…, 공이 온닷!
팡

으악—!
난— 못해!
퍽!

에게?
막았어!
저… 녀석.
그 말이
맞아—.
…지구는…
돈다는…
…….
스르르
풀

통통통
데 그르르…
앗 골인이다
골 라인
그럼 그렇지.
후ー
경사났네
지화자 좋다
쿠르릉
으~
일

# 또 하나의

일생에 도움이
안 되는군.
그 얼굴
나나 주지.
잘생기면 뭐 하니.
잘하는 게 없는데.
울쩍!
으…,
싫다, 싫어….
이 학교 생활도
지옥 당첨인가.
이야기

4
쨱쨱
쨱
쨱
쨱쨱
3
쨱!
앗!
시간
다 됐다.
2
?
놀러온 참새
1
완전 무장
끝!
♪
5:00
착
칵
안일어나면
5시야
서민재!!
놀러온참새
지직!

새 나라의
어린이는 일찍
일어납니다!
좋은 말로
경고할 때
일어나라!
앙!
악
찰싹
찰싹
쿵쾅
으악
음―,
이 맛이야.
짠―짠
아―,
민제가 결국
일어났구나.

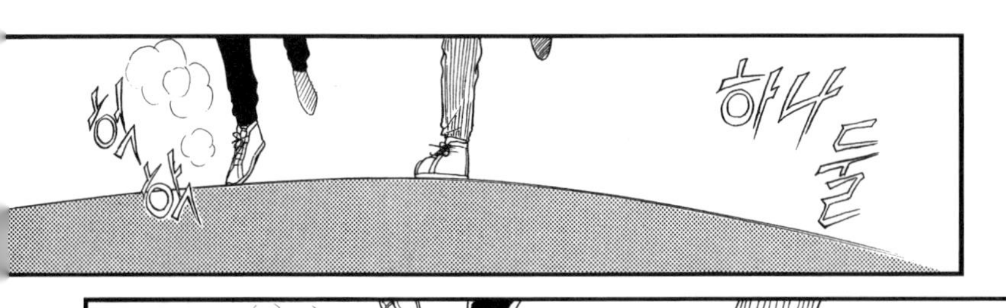
헉 헉
하나 둘

헉 헉
하나 둘
슬비야, 땡전 한 푼 안 나오는 새벽 노동을 언제까지 해야 하냐?
네 물렁살이 사라질 때까지! 체력은 국력, 남자라면 식스팩!

투덜 투덜
구시렁 구시렁
잉? 뭐라고 쫑알거리는 거야?
하나밖에 없는 오빠를 허구한 날 오뉴월 복날 뭐 패듯 패고 말이야.
팽
구시렁 구시렁
으잉—?
얼마나 맞는지 얼굴이 일주일 단위로 바뀌잖아.
주저리 주저리
얼씨구.
아! 불쌍한 내 인생, 아! 비참한 내 팔자. 그 누가 저 마녀의 손에서 구해주나.
엄마, 아빠는 이 비극을 알고 계시나 몰라.
조자리 조자리
어절씨구.

어휴, 저걸 오빠라고 믿고 살아야 하나─?
정신이 번쩍 들게 패버려?
쓰읍
참자, 참아…. 인내는 쓰고 열매는 달다.
쫑알 쫑알
인내는 쓰고 열매는 달다.
인내는 쓰고…
중얼중얼
열매는… 열매…
열매…
구시렁 구시렁
투덜투덜 징징~
열매도 쓰닷─!
사탄 마녀 악녀!…
아수라…
퍽

빨리 가자!
아—,
이 개운한
새벽 공기—.

!
헉
헉

서민제.
헉 헉
왜?
너…
두 집 살림
하니?
콰당
이 나이에—
얼음
주머니
으~, 폭력도
모자라서
누명까지….
이건 뭐야?
으잉?
보면 몰라?!
눈 뒀다
어디 쓸래?!
깜 짝

나는 너의
하나뿐인
사촌 오빠!
저 인간은
하찮은 가수
한빛이잖아!
큰·서·프·한·빛
사촌동생이면서
얼굴 좀 닮았다고 그렇게
구별을 못하냐?!
앙?!
헤고~,
헤고~.
하—, 닮아도
너무 닮았어.
쌍둥이라 해도
믿겠다.
쓸데없는 일에
열량을 소비해서
기력이 딸리네.
헉헉
힐끗

꼭 닮은 얼굴인데
왜 누구는 아우라가 흐르고
누구는 찌질함이 흐르냐?

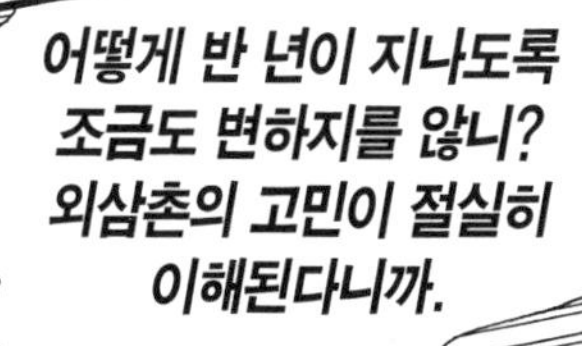


그동안의 노력들이
하나같이 물거품이
되고 보니…
이제 내 능력에
회의를 느껴.

지난날을
돌이켜 보면….
슬비가
깬 것.
아웃!
재 정말
외삼촌 아들 맞니?
주워온 애 아냐?
쨍
쨍강
산
뿌지직
하지만….
널 믿는다,
슬비야—.

염려 마세요, 외삼촌.
아직 시간이 일 년 하고도
반이 더 남았으니
포기 않고 할 겁니다.
저 계속 믿어주세요.
빨리 달려!
2학년 첫날부터
지각하기 싫으면—!
슬비야!
같이 가!

늘푸른
남 녀
고등학교

2·9
와글
와글
2학년 9반 찾았다. 일 년 동안 지내야 할 우리 반―.
드르륵
아는 애가 없나?
꺄아―! 슬비야, 너도 우리 반이니?!

"공포의 열입 쌍둥이"란

남이 한마디 할때 열마디를 하는 수다스러운 쌍둥이란 뜻으로 이들에게 어떤 말을 하게 되면 그말이 마침표도 찍히기 전에 전교생이 다 알게 된다는 전설이 만들어질 정도의 수다쟁이들임.

2학년 때도
아르바이트
계속 할 거지?
잘됐다.
안 그래도 매점까지
왔다 갔다 하기
귀찮아 죽을 뻔
했는데….
하하 그래!
다다다다
그래, 그래.
그런 쓸데없는 일에
신경 안 쓰고
우리가 할 일만
할 수 있는 거야.
갑자기
가격을 올리거나
하진 않겠지?
물가가 폭등해도
우리 용돈은
항상 제자리란
말이야.
두두두두
그래, 그래!
우리도 네가
한 학년 올라갔다고
운송비를 올리거나 하는
몰지각한 일을 하리라곤
생각 안 하지만 말이야.
왠지 걱정이….
쉼표도
안 찍고,
정말
잘 떠든다.
어머,
저 애는….
휴우~,
살았다.
근데…
갑자기
왜 조용하지?

어유~, 성질 나.
재 땜에 괜히
오징어 되잖아!
하아~.
소문보다 훨씬
예쁘다….
건방져 보이는
얼굴이야.
같은 반이라니
완전 좋다….
민제 안됐다.
쟤가 우리 반인 걸 알면—.

땅 파고
들어갈 모습이
훤히 보이네….
야, 서민제!
빌려간 불어 사전
언제 줄 거야?
으악,
노… 노크 좀
해라.
응?
뭘 숨기는
거야?
아, 아냐,
아무것도….
아무것도
아닌 게 아닌 것
같은데….

진…, 진짜야.
진짜 아무것도
아니라니깐—.
절대 아무것도 아니야.
내 18대 후손들의 명예를
걸고 맹세해.
뭘 그렇게 당황해?
난 돈 나오는 일 아니면
관심 없으니까
긴장할 것 없어.
괜히 태어나지도 않은
후손들 명예
훼손치 말고.
으잉?
뭐야?
마징냐, 라한나,
브리트나….
TEONG
서민제!
국산 가수도 좀 챙겨라!
실력 있는
아티스트가 얼마나
많은데…!
좌아악

휘리릭
잉?
헐~. 곁다리를 떼고 나니깐 핵심이 드러나네?
아앗
보… 보지 마! 아무것도 아냐!
팍
아무것도 아니라고?

……
……
씨익~
다른 데도 찾아볼까?
악—!
안 돼!
손 대지 마!
안 돼!
발도 대지 마!
입도
대지 마!

팔랑
햐—아, 정말 많이도 찍어뒀다.
…….
도대체 유채 사진은 왜 이렇게 보물처럼 숨겨둔 거야?
우리 반 부반장이잖아. 그러니까….
그리고?

단지 부반장이라는
이유만으로 숨겨두고
보오냐아—?
♡
화끈
그래,
그 앤 나의 태양이고
꿈속의 여인이며,
영원한
파라다이스다!
유채는…
이름 그대로
예쁜 꽃 같아….
그 고고한 자태,
내 마음을
설레게 하는
그 향기….
호박꽃만 보며
반년을 살아온 나에게
유채는 잊을 수 없는
꿈의 소녀야.
뭐?
퍽

모든 신들이
민제를 버렸군.
일 년 간
유채 소식에
어지간히
목마르겠네.
후후
아—!
삼 년 내내
한 반이 되길
하느님 아버지,
예수님 형님,
부처님 할아버지,
알라신 아저씨께
빌어야지.
알라
그래! 그거다.
정보를 제공하고
돈을 받는다.
Good
Idea!

이게 웬
횡재수냐?!
슬비눈에
비친
유채 모습
국어

2-3
…그러므로,
너희들은
나의 가르침을 잊지 말고
잘 따라줘야 한다.
담임은
불독 같고,
나의 천사
유채도 없고,
내 현실은
시궁창이야.
무엇보다 끔찍한 건
외모 빼고는 모든 면에서
나를 능가하는 조소헌.
저 녀석과 일 년을 함께
썩어야 한다는 거….

또르륵
데굴 데굴
데구르르
휘유—, 안심이다.
꼼꼼하게 둘러본 결과 나보다 뛰어나 보이는 녀석은 없군.
꼬꼬꼬
그야말로 군·계·일·학!
흐흥
유채가 없는 게 좀 아쉽지만, 클럽 활동 때 볼 거니깐 상관없고….
무엇보다…,

나를 돋보여줄
민제 녀석까지
있으니…,
올 한 해는
나의 독무대구만!
조소현!
어디 아픈가?
얼굴색이 수시로
변하는데—.
아—!
나의
실수…
아닙니다.
방학동안 앓았던
감기 후유증일 뿐이니
걱정 마십시오.
아—!
이 얼마나 놀라운
순발력이냐?

야호!
하늘이 날 버리진 않았구나.
그래, 사진으로 실컷 본 그 애가 우리 반이 됐더라.
유채가 너희 반?!
슬비야! 유채 오늘 무슨 옷 입었어? 신발은? 운동화? 구두? 비비화? 머리 모양은? 묶었어? 풀었어? 꼬았어? 기분은 어때? 울적해 보여? 상쾌해 보여?
깡통 멍청
멍청이
불쌍한 우리 엄마. 오늘도 저 인간을 위해 밥 짓고 계시겠지.
그 열성의 10%만 우리 엄마한테 쏟아봐라. 당장 저녁 반찬 메뉴가 달라질 거다!

그건 나중에 따지고 빨리 묻는 말에나 대답해줘! 슬비야, 제발!
알려줄 테니 내 조건부터 들어봐.
조건―? 뭔데?
꼭 말로 해야 아냐?
오가는 현찰 속에 싹트는 우애!
그 애에 대해 매일 삼십분 씩 읊어줄 테니깐 그 보답으로 천 원씩 바쳐.
천… 원!

가만!
하루 천 원?
한 달이면…
바보…
이만육천원!
일요일 빼고
대충 계산해도
2만6천 원!
26,000₩
야!
내 한 달 용돈의
반이잖아!
후비적
후비적…
그런데…?
너도 인간이냐?
하나뿐인
사촌 오빠
용돈을 반이나
착취하려
들다니!
후
그래서…?
인간의 가죽을
쓴 짐승!
네게 하고 싶은
단 한 마디는…
한 마디는…?
우드득!
흥!

500원으로 깎아줘요. 잉…. 슬비야, 제발…
잉 잉
이러고 싶을까?
……. 좋아.
오빠라서 특별 세일 해줬다.
원래 500원 받으려고 했지비♪
정말?
확실히 넌 사랑스런 내 동생이야.
아부는 곧 삶의 지혜!

# 여기는 학교

<공고>
아르바이트 합니다.
1. 매점 왕복이 귀찮다 → 단돈 500원에 필요한 물건 조달.
2. 청소 당번인데 하기 싫다 → 단돈 1,000원에 맡은 바 임무 완성.
3. 기타 자질구레한 일 → 일의 성질에 따라 가격 결정

그날 이후 솔비의 일과
매 점
주문표
영차
영차
W·C
차차 착
반성문 쓰기 100장
파스 값 빼고, 뭐 빼고,
이것 빼고, 저것 빼고, 남은 순 이익은…

에게~. 한 달 내내 뛰어 다녔는데 고작 요것밖에 안 돼?
방학 때 같으면 며칠이면 됐을 텐데 역시 학교 알바로는 한계가 있네.
할 수 없지 뭐. 내가 아니면 누가 챙겨주겠어.
학교에 있을 시간에나 더 열심히 뛰어야지.
아자
민제에게 뺏기는 시간이 많아 그런가 봐. 함께 하교하려고 늘 일찍 마감하니까.
응?
슬비야.
유채가 연극부에 들 거라는 말 왜 안 했어!
뭐…, 연극….

그… 그거야, 그 얘길 해 주면 연극부에 들 거고,
그럼 나한테 유채 얘기 들을 일 없을 거고…,
결국 내 수입도 줄어들 거고…,
손실이 훤히 눈에 보이는데…,
그 얘기를 왜 하냐?
흥
모… 몰랐어, 오빠.
그러니 이것 좀 봐. 알았으면 진작 얘기했지.
아—, 그렇구나.
몰랐으니 말 안 했겠지. 미안해.
성급하게 화내서 미안.
순수한 건지 어리숙한 건지 도무지 누굴 의심할 줄 몰라.

이제 연극부에 들
준비나 해야겠다.
민호 녀석이
말 안 했으면
다른 데 들 뻔
했잖아.
순수한 거겠지.
순수한 걸 거야.

잉잉…. 기집애들!
이렇게 많이 먹고
운동을 안 하니까
뚱뚱해지지.
응차
응차
주문 받은
군것질거리들
일회용 떡복이. 컵라면. 컵순대
오징어. 땅콩. 쥐포. 팝콘. 맛있다 빵. 호떡빵
헤럴빵. 미회빵. 흰우유. 초코우유. 딸기우유
요구르트. 사이다. 콜라. 환타. 바닐라아이스크림
초코 아이스크림. 호두 아이스크림. 기타 등등 기타등등

내 아르바이트를 위해서는 아주 좋은 현상이지만—
우리나라의 앞날을 생각하면 매우 슬픈….
어… 어….
와장창
우당탕
쾅
날으는 컵라면
아고고…. 안심, 등심, 양지머리야. 온몸이 부위별로 쑤시네….

무릎엔
피가 나고…,
물주들이 기다리는
식량들은
어질러지고…,
어쩌끄나….
우선 무릎부터
닦아.
아…,
고마…

…워….
엉망이군.
이걸 다
먹으려면
3박 4일은
걸릴 것
같은데….
화-끈
끔

일어날 수
있겠어?
응,
그래—.

저…, 끝까지
돕고 싶지만
급한 일이 있어서
이만 가봐야
할 것 같은데….
유채를
기다리게
할 순 없지.

괘, 괜찮아.
크게 다치지도
않았는데, 뭐.
혼자 갈 수
있어.

그럼 먼저 갈게.
못 도와줘서
미안해.
아냐,
고마웠어.

훗―.
예쁜 여학생 앞에선
본능적으로 발휘되는
이 기사도 정신.
이런 건 유채에게만
적용돼도 되는데….
쓸데없이
시간 낭비나
하고…
하―!
왕자님 같다… 라는 건
동화책에나 나오는 줄
알았는데….
조소헌이 저렇게
멋진 줄 작년엔
왜 몰랐을까?
멍―
뭘 그렇게
넋 놓고 있냐?
응…,
아무것도
아….
뭐 있나…?

민제!
으잉?
학교에서는
아는 척하지
말랬잖아!
급해서 그래.
유채, 연극반에
들어갔어?

확실하게
알아야 나도
들어갈 텐데.
바보!
클럽 활동
정하는 시간은
5교시인데 벌써
어떻게 알아?

볼일 다 봤으니 가볼게.
잠깐—, 민제!
왜?
우리 상부상조하자.
가자! 2학년 9반 교실로!
고지가 바로 저기다……
자! 반은 네가 가져가고….
툭
으잉?
반은 내가 가져가고.

학교에서는
아는 체도
말라더니….
걱정 마!
누가 너에 대해
물으면 대답할
말이 있으니까.
영차!
뭔데?
내 똘마니?
말도 안 돼,
흥!
뭐가 안되냐
흥!!
별팔이 일기
어?
아니—!

봉투 살려…

악!
내 돈줄…!
탁

야!
너 이런 식으로
반항…!
벌떡

엥?
뭘 보니?

조소헌….

조소헌 녀석!
감히 나의
유채를….

……. 저 두 사람 친하니?
묻지 마. 네 눈으로 판단해.
열받아 죽겠는데…
판단은 했지만
그 판단이 옳은지 확인하고 싶달까.
저 녀석도 연극부에 들 게 틀림없어. 저 녀석 어디가 좋아서….
연극부!
…그래.
인정할 건 인정해야겠지.
저 녀석에 비하면 난 용기도 없고, 바보 같고, 엉망진창 실수투성이….

내가 유채라
해도….
유채에 대한 마음
진심인가 봐.
저런 심각한 얼굴
처음 보네?
연극부라….

툭

아! 피곤해.
온몸을 두들겨 맞은 것 같아….
이렇게 연습하다 진을 다 빼서 정작 공연 때 번아웃 될까 겁나네.

한빛, 이제
방송 쪽도 한번
고려해보자.
방송?
물 들어올 때
노 젓는다잖아.
방송만 잘 타면
그때부터는
꽃길이야.
당신에게나
꽃길이겠지.

너의 외모나 재능…,
특히 그…녀의
후원만 있으면….
움찔
흑!
그 사람 얘긴…
두 번 다시 꺼내지 말라고
분명히 말했을 텐데.

방송 출연도
지금은 생각 없으니
그렇게 알아둬요.
아니! 지금이 한창
좋을 텐데….
자,
연습합시다.
세상물정 모르는
멍청한 녀석!
아무래도
요즘 들어
매니저의 행동이
이상해.

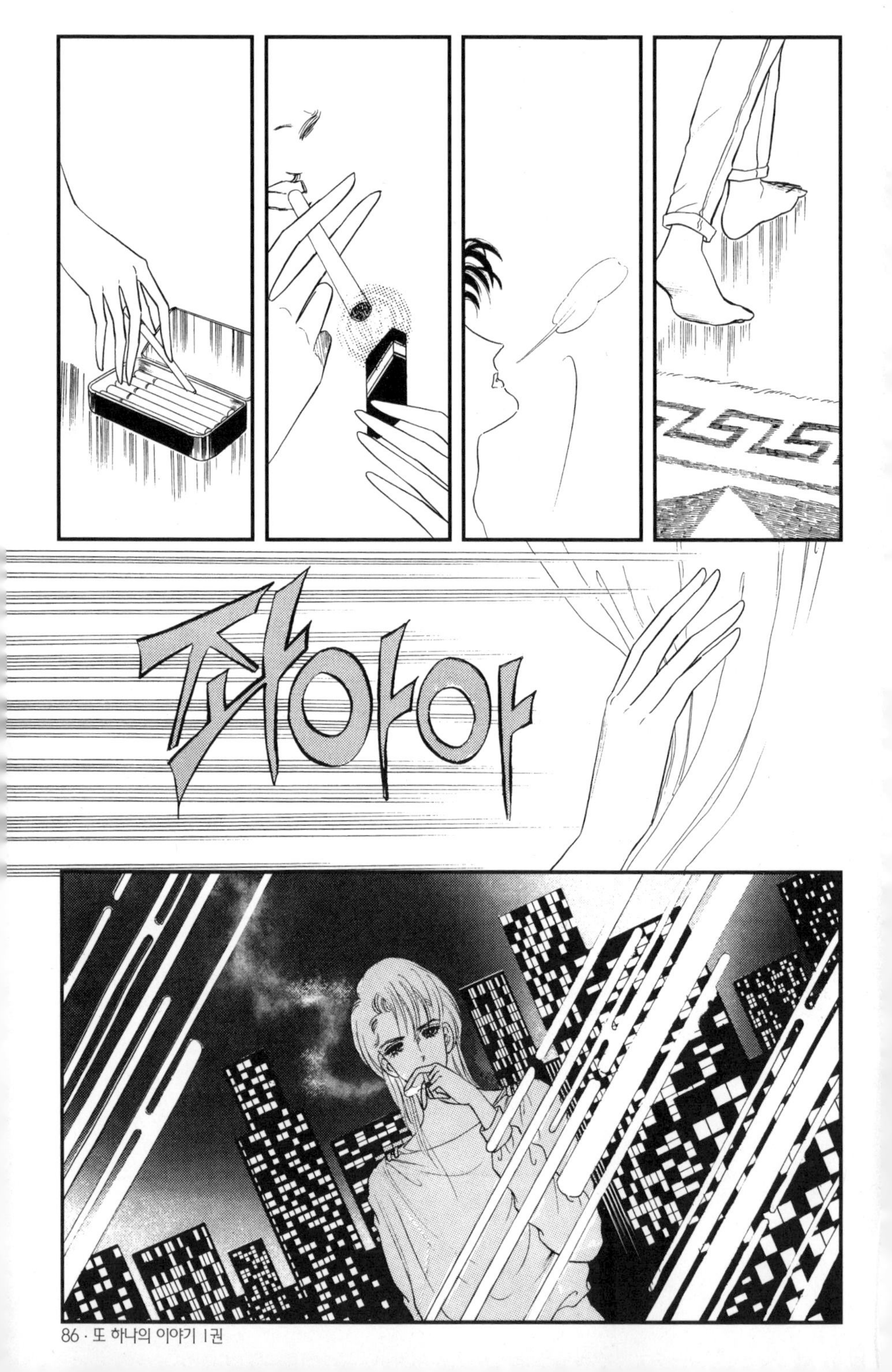
쟈아아

대학 서클 활동 중 우연히 시작된
풋내기 가수생활 2년.
그동안
내가 얻은 건
권태뿐….

아침 운동 시간
하나 둘!
하나 둘!
헉 헉 헉
셋 넷!
헉 헉
꼬끼오♪

!
척
참! 오빠,
놀라운 정보
알려줄까?
헥
헥
!
네가 연극부에
든 거보다
더 놀라운 거냐?

무슨 정보인데
그래?
네 오매불망
유채 거야….
유채?
으이그―.
첨
튀
겨
너,
유채가 한빛
좋아하는 거
알아?
…한때 유채가
내게 접근했었지.
내가 한빛하고
너무 닮아서.
정말?
그래서?
그래서는 무슨….
내 본색이 드러나고
그대로 끝났지 뭐.

민제의 본색?
깡패
쯧쯧!
하긴…
나라도 사귀긴
싫겠다.
고작 그게
놀라운 정보야?
하나도 안 놀랍다 뭐!
성질 급하긴….
놀라운 정보의 핵심은
지금부터라고!
핵심?
유채가 생일선물로
꼭 받고 싶어 하는 게
뭔지 알아?

모, 몰라.
넌 알아?
그걸 모르면
내가 이 얘기를
꺼냈겠어?

그게 뭐야?
빨리 말해봐.
에헴!
그전에….

…그전에?
오고가는
현찰 속에….

…우애가 싹튼다
이거지?
단돈 천 원으로
모시겠습니다.

옛다, 천 원!
유채를 위해
무슨일을
못하리 -!
이제 말해줘.
유채가 생일 선물로
제일 받고 싶어
하는 건…,
바로 이 사람!
한빛의 사인이야!

꺄아—!

팬클럽 창립
한빛
축 공연, 한빛
축 한빛 공연
한빛♡
랑해.요
빛 오빠!

꺄약
어휴~, 시끄러워. 이래서야 노래나 제대로 들을 수 있나?
난 저런 여자애들은 질색이야.
으잉?
꺄야야
I'm 유채!
아닛!

휘익
아그그 아그…
저… 저럴 수가….
이게 다
저 못생긴 한빛
때문이야.
갑자기
오한이…?

아니지…, 아니지!
질투만 하고 있을
때가 아니야….
이제 공연도
다 끝나가고…
이 성
☆을
찾자!
사인 안 하기로
유명한
저 무명가수의
사인을 받기 위해…
서민제는 간다.
슬비의
오천 원짜리
아이디어를
실천하기 위해─!
(정보료 천 원을
제외한 것)

아―, 한빛 오빠!
오빠 같은 남자 친구가
생겼으면….

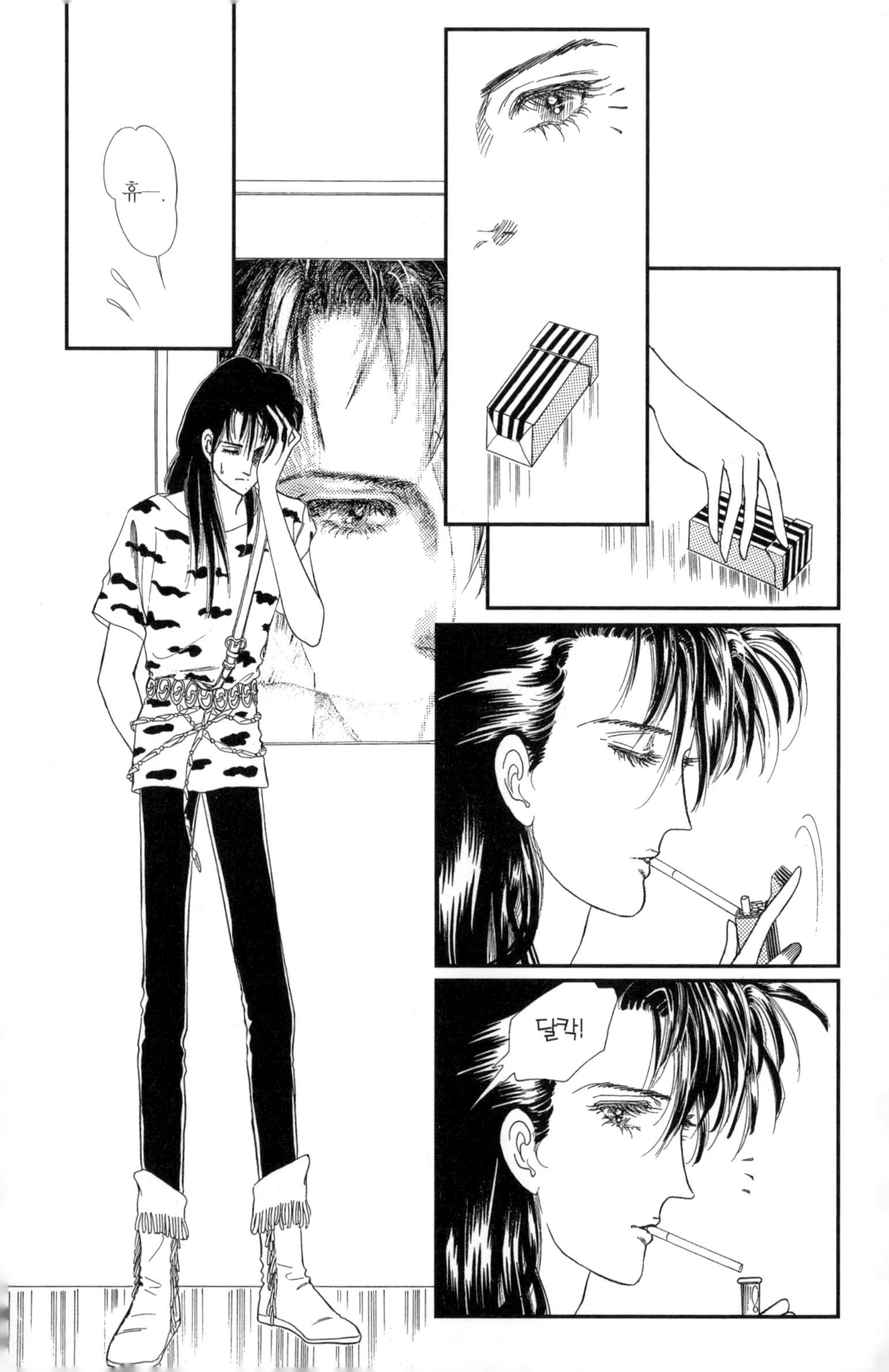
후ー.
달칵!

나야….
극성스런 아가씨들 다 보냈어요?
툭
…그래…. 그런데 손님 한 분이 따라왔어….

워… 원하는 게 뭡니까…?
당신과… 단둘이 나눌 얘기가 있소!
그쪽은 나가도 좋아요, 단—!
예? …예, 예….
조용히 기다리시오, 알겠소? 조용히!
난 살았다!
탁
미안한척 …
한빛, 무력한 나를 용서해….

콘서트
빛
충격!
한빛 피살
복면괴한에게 피살당한
애처로운 가수 「한빛」
아—.
장가 한 번 못 가보고
못다 핀 꽃 한 송이는
꺾이고 마는가…!
풀썩~
응?

으아—.
강도 노릇하는 것도
간이 부어야 되겠다!
내간은 바위틈에 있걸랑…
뭐야…?
간이 덜
부은 강도?
진짜 같진
않은데
누구죠?
아…, 전
민제라고 하는데,
한빛 씨에게…
부탁할 게 있어
이런 무례한 짓을
했어요.
(가짜 총으로…)
우선
그 꺼림칙한
복면부터
벗어봐요.
아, 예!

!!!
한빛 씨가 사인을 잘 안 해준다고 소문이 나서 어쩔 수 없이….
저…, 미안한 얘기지만 사인 좀….
…….
이… 이렇게 닮을 수가….
저… 사인 좀 해주실래요…?
아무리 닮은 사람이 많다지만….

……?
왜 대답이 없지?
화난 건가?
사인 좀….
…….
노…
노려보잖아….
역시 화가
난 거야.
한 장만…
해주시면
되는… 데….
아… 안 되겠다,
도망쳐야지….
귀찮으시면…
그냥….
안녕히 계세요―!
자, 잠깐―!

옛?!
바꿔치기요?
그래.
『왕자와 거지』
처럼.
너와 내가
다음 콘서트가
있을 때까지
자리 바꿈을
하는 거야.
물론 그 중간 중간
한 번씩 만나고
중요한 스케줄은
직접 해낼 거야.
어때, 싫어?
경험 삼아
연예인의 역할을
한 번쯤은 해보고
싶지 않냐?

왕자와 거지처럼 이라….
로뎅거 아님. <다리가 달라
좋아요, 그 제안 받아들일게요. 한 번쯤은 다른 사람으로 살아보고 싶어요.
그래, 괜찮은 생각 같아.

아이구~, 속 타.
대체 1시간 30분이나
분장실에서 둘이
뭘 하는 거야.
경찰을
부를 걸 그랬나?
우리들은 보디가드 무능력한 보디가드 …
총소리도 안 나고,
비명도 안 나고,
대체 죽은 거냐
산 거냐….
으~! 콘서트도
다 마치고 나서
이게 웬 날벼락이야.
으~, 내 밥줄~.
한웅큼 뜯긴
머리카락

어쩌구 저쩌
이렁쿵 저렁쿵
쫑알 쫑알
조잘조잘
주절주절
어쩌구 저쩌
중얼중
×놈
이래서 저래서
어쩌구 저쩌구
주절 주절
아파트 생활
어쩌구 저쩌구
주절주절
중얼 중얼 중얼 중얼
보디가드

적어요?
이것도 계약서를
써야 하나요?
좋아,
이제는
적어야겠지.
도장이
없는데
지장으로
될까?
……!
생긴 것 하곤
달리 좀 맹하군.
아!
그게 아니라
한 번 듣고 모든 걸
다 기억하지는
못할 테니 기록해뒀다
그때 그때 맞게
활용해야지.
그러니
아까 한 애기
상세하게 적어줘.

아우우우웅―!
겨우 다 썼다!

이제
교환할까?
좋아요.
건투를 빈다.
저도요.

지금부터
나는 왕자.
내가 언제는 거지 였나?!
나는 거지.

딸깍
콘서트 한 빛
모사재인
성사재천이라….
살금 살금
냥 냥
ZZZ
ZZ

아—,
상쾌한 공기.
동화 속의 왕자님,
당신의 기분도
지금과 같았을까요?

가자─!
제2의 인생이
기다리는 곳으로!
우선 이 머리부터
처치해야지.

## 서민제 신상명세서
### —가족상황—

부모님은 현재 두 분 다 미국 거주.
본인은 반 년 째 고모 댁에서
신세지고 있음.

**1. 고모부 (이푸르매)**
언제나 바쁘신 외과의사.

**2. 고모 (서지혜)**
자상하고 착한 분, 그러나 화나면
무섭다. (세간살이 일체를 새로 갖추게 됨.)
쿵푸 및 각종 무예 고수. (고모부도)

* 고모부 내외는 결혼 후 한 번도
부부싸움 한 적 없는 잉꼬부부.

**3. 이슬비**

나보다 두 달 늦게 태어난 사촌동생.
부모를 닮아 무술은 입신(?)의 경지.
★특징: 성질 드럽고 돈만 아는 폭군!
오랑우탄!

**4. 친구관계**

♥이유채: 천사, 선녀.
내 꿈속의 연인.
한 마디로 완벽 그 자체.

♤라종래: 제일 친한 친구 겸
내 정보통.

♠조소헌: 악마—! 내 라이벌.

겨우 찾았다!
음—,
아담한 단독주택이군.
내가 늘 그려보던
그런 집이야.
1시 20분이라,
너무 늦었군.
누구세요?
나야, 한…
아니고 민제….

바보야
이제 오면 어떻게 해!
으힉!
저 애가 슬비구나.
성질 드럽고
돈만 안다는,
못 생기고 힘만 세다는,
무술 고수에다
오랑우탄….
얼마나
걱정했는지
알아?!
미… 미안.
어쩌다
보니….
하이고~, 진짜
오랑우탄 같은
목소리군.

어쩌다 보니… 라고?
엄마 아빠가
안 계시기 망정이지
어쩔 뻔했어?
오랑우탄치곤 너무
귀엽고 사랑스러운
얼굴인데?
엉? 웃어?
닮은꼴의
멋진 모습을
보고 오더니
이성을 잃었군
그래.

이성을
잃은 게 아니라
배가 고파서 그래.
밥 좀 줘.
몇 시간
굶주렸으니
배도
고프겠지.
꿀꿀이가 따로 없군,
천천히 먹어.

아무리 봐도 그 녀석
얘긴 틀린 것 같군.
귀여운 데다 상냥하잖아.
밥 달라는 소리에 금방
차려주고….
상차림 비용
천 원이 아깝다고
아등바등 혼자
챙겨 먹더니.
민제 너, 오늘은
꽤 대범하다?
캑!
돈만아는
돈만아는
돈만아는
돈만아는
돈만아는
돈만아는
돈만아는
한 가지는
맞는 얘기였군.
사인은
받아왔어?

사인?
제가 좋아하는
여자애 생일 선물로
주려고요.
실패했구나.
그럴 줄 알았어.
애초에 네겐 무리한
미션이었어.
어쩌
까나….
음
음
……!
하지만 5천 원은 돌려줄 수 없어.
아이디어 제공료란
일의 성패 여부와는
관계없는 법이니까.
나도 돌려받을
생각은 없네,
요 깍쟁이 아가씨야.
네 덕분에 나만
살판났으니까….

두 달 오빠, 어디 잘못됐수? 쓸데없이 헤실헤실 웃기나 하고….
여러 가지 충격을 많이 받아서 그렇다네, 두 달 누이.
난 목욕하고 잠이나 잘래.
그래, 온몸에서 땀 냄새가 난다.
피유~
아 참! 그건 얼마지?
너의 실패를 애도하는 뜻에서 그건 안 받을게.
슬비야, 나 목욕할 동안 잠자리 좀 봐….

고마워.
락
…….
헤헤~,
용돈 오천 원 벌었다,
행복해.
나는야 행복한 왕자
자유가 뭔지 알아요
…그렇지만 두 달 오빠,
어딘지 단단히
틀어졌나 봐.

아—,
상쾌해.
아차! 갈아입을 옷을 안 갖고 들어왔잖아.
지금쯤 내 방엔 슬비가 있을 텐데…!
!
크으~, 난 지금 민제지. 슬비의 오빠고.
휴! 대충 된 거지.
탁
탁
민제는 침대를 안 써요.♪

고마워, 슬비야. 돈 한 푼 안 받고 이렇게 깨끗이 정리해주다니….
이 정도야, 뭐―.
어?
…….
아~, 졸려, 잠이나 푹 자야지.
…그래.
피곤한 하루였을 테니….

탁

4
쨱쨱
쨱
쨱쨱
쨱쨱
3
쨱!
앗!
시간
다 됐다.
2
?
놀러온 참새
1
완전무장,
끝!
♪
5:00
착칵
서민재!!
안 일어날래
난 5시야
놀러온참새
지지박!

흥! 어제 늦게 잤다고
아주 맘 놓고 늦잠이네!
악몽꾸는 한빛

흠, 오늘은 무슨 방법으로 깨우지?
궁리
궁리
흐음…
어떤 요리를 하지?
좋은 고문 기구가 없을까?
좋은 요리 도구가 없을까?
씨-익
뚜두둑.

으아악—!
살려줘요!
으으….
으흐흐흐….
역시 음식엔
된장을(?) 발라야
제맛이 나지.

으아아악
역시 정확해.

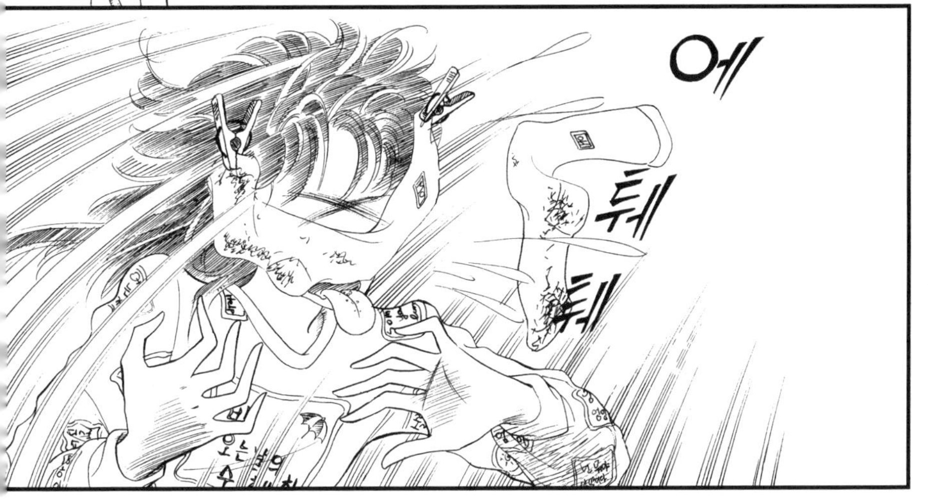
에
퉤
퉤

깼구나~.

윽….
뭐, 뭐야!
앵~..
어제 신었던 양말

으~.
어쩐지 찝찝한 꿈이
꾸어지더라니….

그러게, 내가
좋은 말로
할 때
깨야지.
슬비야,
어젯밤엔 늦게 잤으니깐
오늘 하루만…!
딱 하루만 쉬자, 응?
민제가
치를 떤 이유가
여기에 있군.
참새 트림하는
소리 말고
빨리 나와.
쾅
아~ 옛날이여~
지난 시절
다시 올 수 없나
그 으 날~

귓가를 스치는
신선한 바람,
봄내음이
묻어날 듯한….
햐—!
몇 년 만에 해보는
새벽 운동인가?
정말…
좋구나!

오늘은
왜 조용하니?
불만 메들리가
터져 나올 시간이
한참 지났어.
아하…. 그, 그랬나?
오늘은 어쩐지 불만이
안 생기는걸?
잠이 모자라
그러니?
이상해졌어.
그, 그래.
잠을 제대로 못 자서—,
제정신이 아니라서
그런가 봐.
하지만
굉장히 기분 좋아.
넌 이런 기분
모를걸?

……….
어때,
나 상당히
변했지?
그래,
변했어.
내일부턴
내 삶의 방식도
바꿀 겸
내가 먼저
일어나서
운동하겠어.
퀘
ㄱ
매달 말일에나
하던 대사를
벌써 하다니….
기왕 시작한 김에
'작심 3시간' 하는
버릇도 고쳤으면 해.
그래야 나도 발성(?)
연습을 쉴 수 있지.
민제 녀석…,
이제 보니
생각한 것보다
형편없는
녀석이잖아.
좋다,
이제부턴 참신하고
멋진 민제의 모습을
보여줘야겠군.

자, 뛰자!
새로운 모습의
민제를 향하여!
빨리 안 일어나?!
슬비야,
5분만 더…
5분만…
음냐…

아~,
피곤해.
수술은
무사히 끝냈어?
털썩…
다행히.

많이
힘들었나 봐?
교통사고 환자였어.
만신창이가 되었더군.
수술이
성공했다 해도
한쪽 다리는
재기불능이야.
무모한 사람 같으니,
음주운전은 사망부나
다름없다는 걸
알면서도….
자기는 물론
남까지 망쳐놓았잖아.
그만! 그만해,
그런 슬픈
얘기는….
아무리
의학이 발달해도
어쩔 수 없는 거야.

안마까지?
피곤할 텐데 목욕하고 눈 좀 붙여.
특별 서비스로 안마를 해 줄 테니….

당신이야말로 날 지켜주는 흑기사잖아. 어릴 때…, 그 어릴 때부터.
이렇게 착한 아내를 둔 나는 행복한 사내야. 언제나 내게 힘이 되어주는 당신은 정말 천사야.

앗! 민제, 보지 마!
미성년자 관람불가야!
파
스
아잉~,
창피.
와… 왔니, 슬비야!
엄마는 좀 전에
시골에서 왔고 아빠도
금방 오셨단다.
조깅 끝났니?
어험.. 또..
요샌...

배가 많이 고픈데,
아직 멀었소?
어머,
내 정신 좀 봐.
금방 돼요.
너희도 어서
씻고 오렴.
밥 먹고
학교 가야지.
네, 네—.
자리 비켜드리죠.
2부 계속 하세요.
킥
킥
!
정말 변함없이
다정하셔.
그치?
으… 응.

정말
다정한….

…제.
민제야.
어디 아프니? 얼굴빛이 안 좋다.
아…, 아무것도 아니에요. 좀 생각 하느라고….
…엄마 아빠 생각했니?
하긴 벌써 반 년이나 지났으니 보고 싶겠다.
그러나 민제는 이 순간, 부모님 생각은 전혀 않고 있었던 것이다.
히야~, 없는 게 없구나.
아희야~, 무릉이 어디뇨. 나는 나는 옌가 하노라.
쥬스

반 석차가
5등이라….
특히 국·영·수에
강하군.
그런데….
하~. 민제 녀석
성적 하나는
괜찮네,
영 쑥맥만은
아닌가 보지?
체육이 이게 뭐야?
실기가
기본 점수라니.
그러니까
남자들 축구한다는데
나더러 여자들이랑
배구 하라는 거
아니겠어, 원….
아무래도 이 녀석
이미지 개선 하려면
중노동 좀
해야겠어.

민제야,
같이 가자.
넌 누굴 뽑을 거냐?
그, 글쎄.
이 녀석은 누굴까? 또… 누굴 뽑는다는 얘긴 뭐지?
글쎄…라고? 넌 당연히 유채 뽑을 거면서 뭘.
하하…, 나야 그렇지 뭐.
주절 주절
떠벌 떠벌
조잘 조잘
으~. 이 녀석 이름이 대체 뭘까?

저 녀석이구나,
서민제의
단짝이라는 애가.

아무것도
안 물었는데
왜?
오늘따라 네가
멋있게 보여서.
정말?
당연히
거짓말이지.
어서 가자.
뭐야─!
서민제 너~.
반짝
조소헌 한 표.
연극부 부장 후보 명
조소헌
이유채
김홍
유채 한 표.
조소헌 한 표.

내 표 외엔
아무도 날
안 찍은 거야?
우리 엄마의 뒤를 이어
연극부장은 내가 꼭
되어야 할 텐데….
조소헌.
조소헌.
유채.
유채.
조소헌.
유채.
티 리리리.
틱!
개표 결과에 의해
차기 연극부장은
조소헌 군이
당선되었습니다.

감사합니다.
당연한 결과지.
드디어 예술적 재능을
발휘할 발판이
마련됐다는 거 아냐!

어머오빠
멋있어
오빠
조소현씨
멋쟁이
여기좀 봐주세요
나와서
인사하라는데
뭐 하는 거래?
이렇게 본격적인
전교 여학생의
우상화 작업이
시작되는 거지!
연극부장다운
실력을 과시하려고
팬터마임 하는 듯?
역시 멋있다.
데뷔시절 나를
보는 것 같군.

이게 뭐야,
오자마자
시험과
마주치다니.
때 아닌
시험공부에
지식은 사라지고
졸음만 오는구나.
지겹다,
지겨워.
하아아암
경고했지?
벌써 9번째야.
10번 채우기만
해봐라,
그땐 없어.
티릭
알았어.
집중할게.
시험공부 할 때만은
그나마 눈동자가
초롱초롱하더니,
잘못돼도 많이
잘못된 거 아냐?
뜨끔

똑똑하고
예쁘고
사랑스러워.
저녁 반찬이
이상했었나?
그나저나……
정말 고민이군.

고딩 때는 나도
공부깨나 했던
인재인데 말이야.
민제 녀석
쓸데없이
성적이 좋아서
이런 불상사가
생기는 것 아냐.
휴유―.
자―.
이게 뭐야?
출제 빈도수
높은 곳을 추려봤어.
컨디션이 영
안 좋아 보여서 좀
봐주는 것뿐이니까
다음은 기대하지 마.

와아—,
이렇게 훌륭한
자료를 주다니
역시 귀여운
구석이 많군.
줄친 부분을
중심적으로
외워.

흠이라면
저놈의
돈 밝힘증.
푹
단돈
3천 원.

뭐라고
중얼대는 거야?
옥에 티다,
옥에 티!

아까 한 생각
전부 취소.
옥은 무슨!
참!
민제, 이참에
경고하는데
시험이라고
조깅 쉴 생각은
꿈도 꾸지 마라,
잉?

쯧쯧!
옛날이나 지금이나 시험은 역시 지옥이야.
야호—! 끝이다!
으악! 덜 적었는데!
향숙아~, 마지막에 뭐니?
아~, 드디어 하늘엔 영광, 땅에는 평화로구나.
후후….
예상보다 더 잘 본 것 같은데….
수석은 역시 내 차지겠어.
VICTORY
설마 나만큼 잘 나온 녀석은 없겠지?

응?
뭐야,
저 녀석….
히익
뭘까,
저 기분 나쁜
표정의 의미는….
오—
싹
우키키키—.
세월 따라 지식은 떠났지만
찍는 실력만은 남았도다.
슬비도 대단한걸.
적어둔 데서
80%가 나왔으니….
영·수도 쉬운 편이었고….
그러면 이번
내 성적은….

2 · 9
여기도—.
이곳도—.
요기도—.
이쪽도—.

역시
예상문제들은
거의 다
나왔구나.
그래서 사립학교
선생님들의 한계가
드러나는 거야.
문제 유형이
똑같으니깐….
민제 녀석,
제대로 봤는지
모르겠네.
심난한지 통 공부를
못하던데….
그래도
기본 실력이
있으니까….
시험 잘 쳤니?
표정 보니까
만족스런 결과가
나올 것 같네?
그럭저럭.

나도 그런대로
본 것 같아.
거의 예상했던
문제라서.
이번에도
너와 나의 1위
다툼이겠네.
그런가?
이슬비.
그냥 그런
애인줄 알았는데
나를 위협하는
실력파.
그래도
이번엔 안 져.
암—.
피부미용을 해쳐가며
며칠 밤을 새워
공부했는데!
뭐야, 눈을
내리깔고 보다니…,
나도 일어서서
봐주랴?

안녕~,
내일 보자.
민제…, 가엾은 민제야.
저 애는 여러모로 네겐 부담스러운
애란 걸 왜 모르니.
와아아
와아

짱!
엄마야..

끼야~!
끝났다!
드디어 이겼어!
15-10
세트스코어 2:0
2학년 9반 승리.
7반은
맥도 못 춘다
그치?
만능천재
슬비가 있는 한
문제없어.
못하는 게 없네.
공부도 잘하고
예쁘고….
수고했어,
이슬비.
소문난
사기캐다웠어.
나 혼자 한 것도
아닌데 뭘.

와아아악
꺄아악
굉장해
응?
뭐 이렇게 시끄러워.
완전 멋있어.
어쩜 저렇게 잘하냐?
「스타 탄생」이다.

무슨 일이니?
6반하고 8반 남학생들 농구시합 하나 봐.
6반? 그럼 조소헌의 독무대겠네?
꺄아아!
어라, 그런 게 아닌 듯?
조소헌 아냐.
바로 저 애 때문에 6반이 이기고 있어.

대변신
나 따라다닐 때는 귀찮았는데 지금 보니까 좀 괜찮네….
민제에게 저런 운동 신경이 있었나?
한빛 오빠 같아.
뭐? 한빛? 민제가?
너도 저 애 아니?
…그, …그야 1학년 때 우리 같은 반이었잖아.
그리고 지금도 저렇게 다들 이름을 부르잖아.
멋있다
서민제♥
서민제

맞다, 참. 너도 같은 반이었으니까 저 애에 대해 어느 정도 알 거야. 나는 교제도 했기 때문에 더 잘 알고 있다고. 근데 정말 외모가 아깝더라니까.
그랬구나.
그래도 좋은 점도 많다는 걸 네가 알 리 없지.
하지만 잠깐 사이에 저렇게 변할 줄이야.
아깝다 —….

삐익
64 대 52
6반 승리다.
끼아악!
우리 반이
이겼다!
휴—.
결국 이겼군.
내가 있는데
당연한 결과지.

수고했어.
너 오늘
굉장하더라.
나를 위해 달려와주는
여인들의 모습은
얼마나 아름다운가…?
오 잉?
뭐, 뭐야?!
민제 너—
그렇게 잘하는 줄
몰랐어.
나 혼자
경기한 것도
아닌데 뭘.
진짜 막
날아다니더라.

으~, 저 멍청이가 감히 나의 영광을 가로채다니….
부글
어디서 찌개 끓는 소리가 나냐?
그러게….
여자들에게 둘러싸이는 건 정말 지긋지긋한데
왜들 이렇게 몰려와 떠들어 대는 걸까.
조잘 조잘
재잘 재잘

참,
옆엔 얘가
있었지.
어머―.
어떠냐,
내 모습
괜찮았어?
저, 저 녀석,
어디다 윙크를
하는 거야.
뭐니.
왜 안 하던
짓을….
유채가
얼마나 기분
나빠하겠….
욱
꼬르륵

여전히 날
좋아하고 있군.
하기야….
어쩔까나….
후─.
이것도 오랜만에 피니까
더 맛있고만.

벌컥
힉!
무… 무슨 일이야,
노크도 안 하고?
슬비…?
척
척

혹시
담배 피운 거
들켰나?
꿀꺽
냄새는 나지
않을 텐데.
왜 아무 말도
안 하는 거야.
겁나게끔~.
아까 학교에서
누구에게
윙크한 거야?
응?
그, 그야
내 사랑스런
동생에게…지.

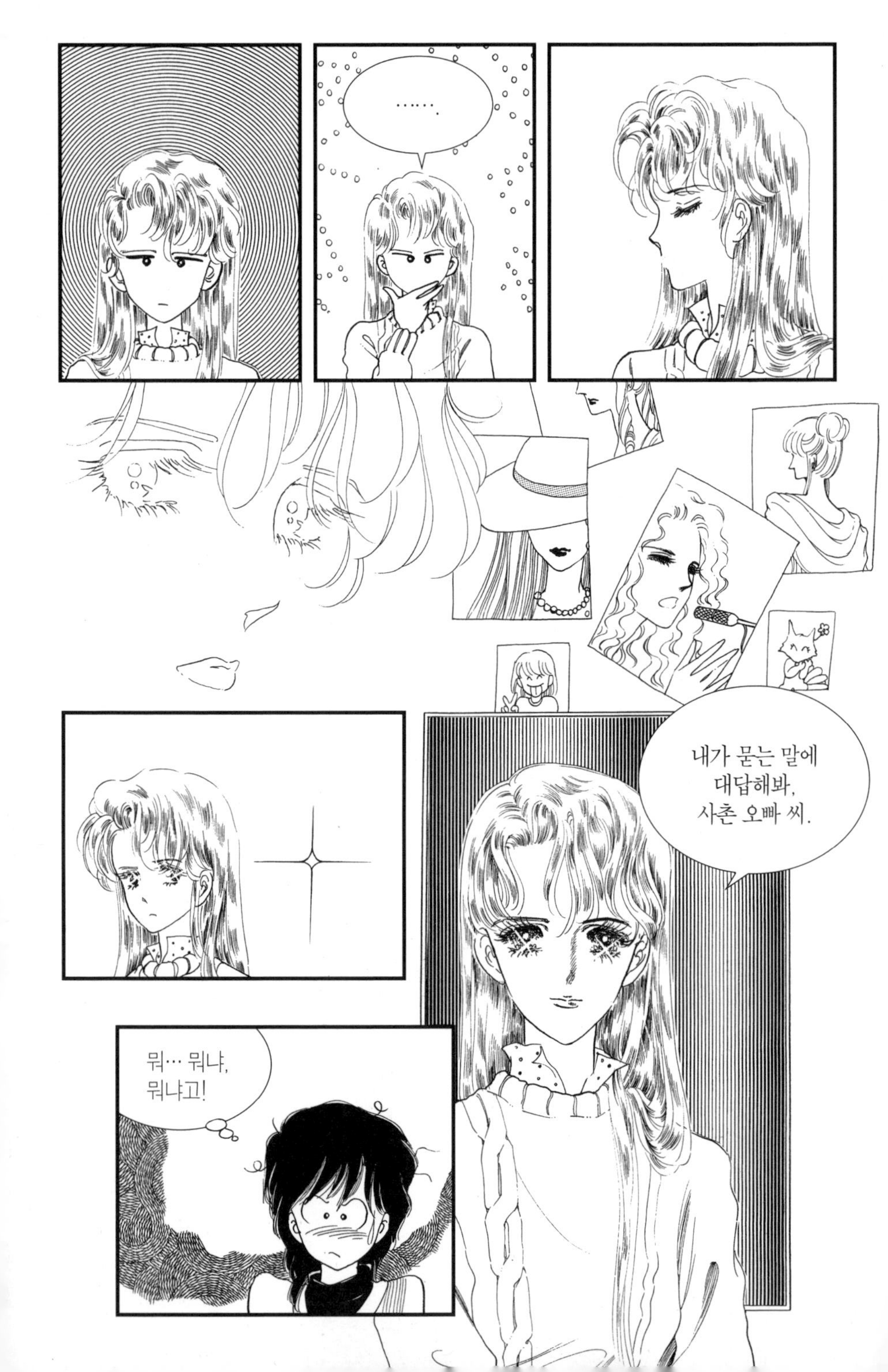
……
내가 묻는 말에
대답해봐,
사촌 오빠 씨.
뭐… 뭐냐,
뭐냐고!

탁
아얏
이 사진 밑에
뭐가 있지?
아파라
맞은 곳은
딴 곳인데
왜 얼굴에
멍이 …
사진 밑엔
당연히 벽이지 뭐.
으 ~ 흠!
그으래?
앗! 뭔가
실수한 걸까?
그렇지.
사진 밑은 물론
벽이겠지.

우뚝
만나서 반가워요,
한빛 씨!
민제는 잘 있겠죠?
!

킥킥—.
재미있는
여자야.
이건 그냥 러브레터잖아.
어디 보자…. 사랑해요, 오빠.
오빠가 사는 하늘 아래
살고 있다는 것만으로도
행복해요…?
웃겨 진짜.
네가 한빛에 대해
뭘 안다고 사랑이냐,
사랑이….
세상에 할 일 없는
여자애들이 이렇게
많을 줄 몰랐다.
TV에도 안 나오는
무명가수를 어떻게
알아내서 쓸데없는
편지질이냐…?

이런 여인들이
우리나라를 짊어질
청년들의 배필이
될 거라는 걸
생각하니 슬프다,
슬퍼.
그중에서도
가장 슬픈 건,
내 사랑
유채의 편지가
1/30이나 차지한다는
사실이야!
앙앙~.
유채, 미워잉~.
유채♡
♡유채
♡유채
어떻게… 알았어?

그렇게 엉성하게
민제 흉내를 내는데
모를 줄 알았어요?
첫날부터?
솔직히 말하면
첫날부터
의심했어요.
당연하죠.
첫째,
민제는
절대 내 앞에서
속살 안 보여요.
워낙 숫기가
없어서요.
그런데
그날 저녁…
둘째, 민제가
제게 윙크 할 일은
절대 없지요.
학교에서 모르는
척하는 사이니까.
셋째, 민제가
이 사진 밑에 있는
유채 사진을 모를 리
없잖아요?

마지막으로
민제는
담배 피울 줄
몰라요.
픽
이거야, 내 딴엔
열심히 노력했더니
오히려 역효과가
온 것 같아—.
허탈하군….

자, 그럼 이 일을
어떻게 처리할 거지,
이슬비 양.

같은 외모로
저렇게 다른
느낌이라니…
그 콧대 높고
도도한 유채가
반할 만해.
…그러니 다른
여자애들이야
오죽할까?
역시 난
돈 버는 궁리엔
천재인 듯.
!
?

생글생글
당신이 왜 민제랑
자리바꿈 한 건지
묻지 않을게요.
또한 계속해서
민제 역할을 하도록
눈감아주고
도와줄게요.
물론 대가가
필요하겠지?

마니에르가 있군요.
그리 힘든 일은
아니랍니다.

대체 얼마를
더 찍어야 하지?
벌써 몇 통이나
찍었잖아.
아~!
인상 쓰지 말고
웃어, 서민제.
모델도
힘들지만
카메라맨도
힘들다고요.
찰칵
그러니 피차
노력합시다.
젠장,
별 포즈를 다 잡으라네.
화장실에서 힘쓰는 폼
찍겠다 안 그러니
다행이군.

이젠 화장실에나
갈까나?!
뭐, 뭐야
그것까지
찍겠다고?!
?
뭔 말이래?
점심 시간도 끝나가는데
수업 시간에 난처한 일
생기기 전에 가야 하잖아.
가발이나 벗어줘.
아하하….
그래,
난 또 뭐라고.
여자가
수치심도 없냐.
남자 앞에서
화장실
얘기라니.
웃도…
자, 그럼―.
이따가
연극부에서 보자.
그래.
이젠 대놓고
반말이군.

저 애는 도대체
돈을 저렇게
악착같이 모아
뭐에 쓰려는
거지…?
민제야
서민제
응?
복부인?
큰손?
별로 내 맘에
안 드는
여성상인데….
헥
헥
여기 있었구나,
한참 찾았다.
무슨 일 있니?

서민제, 너
내가 묻는 말에
솔직히 대답해!
지금 네가 다니는
학원 이름이 뭐야?
아님 과외 선생
이름이라도
알려줘!
뭐, 뭐야!
난 학원에
안 가는 거
네가 더
잘 알잖아!
학원
안 가는 거
맞나? 맞지?
맞을 거야.
그럼 저건
대체 뭐야?
뭐라니?
이리 와봐,
짜식아—!

저기 봐.
뭔데?
이름
학년/반
1 서민제 2/6
2 박순현 2/8
3 김희정 2/7
4 장삼봉 2/10
5 이슬비 2/9
6 이유채 2/9
7 김선달 2/7
8 조소헌
9 최선희
10 김영구
자—, 빨리 말해. 어느 학원, 어느 분이야, 응?
나도 성적 좀 올려보자, 민제야, 응?
흠—. 기대 밖의 성과인데? 역시 고딩 때는 국·영·수만 잡으면 되는구나.

축하해, 서민제.
많이 향상되었네.
유채!
전교 28위에서
1위라니….
원래 상위권에선
이렇게
급상승하기 어려운데
무슨 비결이라도
있었니?
얘구나. 민제가 말하던
「내 사랑 유채」의 주인공.
그리고 매일 내게
편지하는 극성팬 아가씨.
그냥 운이 좋았을 뿐이야.
다음 시험 때는 제자리를
찾겠지, 뭐.
그때는 아가씨가
경멸해 마지않는
그 총각이 다시
올 테니까.

절대
용납 못해.
도대체 어떻게
이런 일이….
악!
으~!
용서 못해!!!

저 녀석
왜 저래?
아~! 재,
우리 연극부
부장인데
가끔
팬터마임을
잘 해.
히익!
두고 봐라, 서민제.
지금은 네가 무엇에 홀려
여기저기서 두각을
드러낸다만…,
왕소심한 네 녀석이니
연극부에서만큼은
어쩔 수 없을 거다!

그러므로
연극무대를 발판으로
너를 밀어내고
나 홀로 찬연히
빛나리라!
※조소헌으로서는
한빛이 연극영화과의
인재라는 걸 알 리가 없었다.

우와
우와

이… 이런 데서
공연한단 말이지.
무… 무대가
이렇게 넓을 수가….

대단해. 이런 데서 공연하는 용기라니….
나 같으면 기절하고 말 거야.
혼자 있을 때는 다 해낼 수 있는데 남 앞에서는 왜 안 될까….

재 요즘
왜 저래?
내가 한빛이라면
이런 일은 없겠지.
왜 그렇게 다를까….
자다가
머리라도
다친 건지…
부쩍 멍청하고
띨띨해졌단
말이야.
젠장~.
저나 나나 똑같은
인간인데….
어쨌든 제정신이
아닌 것은 분명해.
그렇다는 건
좋은 기회가 왔다는
말이렸다.
사인?

그래,
사인이지.
알았어요.
뽁
우히히
웬일이니~,
이리 쉽게….
여기가 아니야.
한빛
그럼 여기?
욱
아냐~.
한빛
여기?
한빛
아냐!

아냐!
아니라고!!
아니라니까!!
아니란
말이야….
그럼,
어디 해야 되죠?
한빛
네가 방송 쪽은
졸업 후에 생각해
보겠다 했지만
지금이야말로
적기다.
적기!
여기,
방송 출연 문제를
나에게 맡긴다는
계약서!

바야흐로 세상은
우주 시대에 접어들었다.
네가 매스컴을 타게 되면
온 우주 가득히
너의 노래가 흐를 것이고,
너는 전천후 우주 스타가 되는데
이 얼마나
절호의 기회냐고….
너는 한국이 낳은
전설적인 아티스트인
서지원을 능가하는
인기인이 될 수
있다는 거다.
흥―! 서지원이 뭐
실력이 엄청나서 그런 유명 가수가
된 줄로 안다면 큰 오산이지.
얼마나 실력 없는
풋내기였는지 알아?
매니저의 말을 잘 따라서
지금의 자리에 올라선 거라고.
네게도 내가 좋은
기회를 주는 거니까
잘 생각해.

요새 네가
제정신이 아닌 것 같아서
서두르는 거다.
어서 사인을….
어서 어서 하거라~.
그렇게만 되면 넌
완전히 내 밥이야.
에랏!
나쁠 거 없겠지.
그 형에게도
손해나는 거
없을 거고….
빠…
빨리 해라.
여기 하면 되죠?

내 매니저는
조심해야 할
인물이니까
이상한 걸 요구하면
즉시 연락해줘.
계약을 피해왔다면
그럴 만한 이유가 있을 거야.
…나는 지금 민제가 아니고
한빛이다. 가수 한빛!
역시 곤란해요.
방송 출연에 대한
내 생각을 철회할 수
없습니다.
이…
이래도 되나?
성내면
어떡하지….
뭐,
뭣 때문에!

더 이상
할 말이 없으면
돌아가시지요.
쉬고 싶습니다.
아, 알았어.
푹 쉬도록 해.
내일부터 많이
바빠질 테니까.
두근 두근 두근 두근 두근 두근 두근 두근
탁
후아…

흐이그~,
혈압 올라.

좍 좍

그 멍청한 녀석이
나를 갖고 놀아?

좍 좍

네가 그런 식으로
나온다면 난 더 이상
참지 않아.
내가 가질 수
없는 것은
없애버린다.
흐
흐
흐
이것이 바로
놀부로부터
전승되어 온 철학.
못 먹는 감 찔러보기
—즉 심술의
한국학이란 거다.

사인을 하라고?
하루 종일
사진 모델이
되어준 걸로 부족해서
사인까지 하라니
너무하잖아.
내가 사인하는 거
얼마나 싫어하는지
알면서….
한빛 사진임
사진만으로는
수지타산이
맞지 않아요.
우리는 공생관계
아닙니까?
어서 해요.
어휴~.
이 많은 사진에
어느 세월에….

휘 휙 휙
헉
헉
겨우 끝냈다.
우후후~.
이 돈뭉치들….
정말 그 많은 사진을
살 사람이 있기나 해?
아마 그 누군가는
혼자 다 차지하려
할 걸요?

그렇게 수전노같이 돈 모아서 어디다 쓸 거야?
묵비권을 행사하겠음.
도무지 이해가 안 되는 애군. 그렇게 안 보이는데….
전생에서 돈 없어 한 맺혔던 사연이라도 있나?
입만 벌리면 돈 타령이니….
참, 이건 공짜로 해주는 말인데요….
연극 테스트 때 굉장히 잘하던데요?
가수라서 노래만 잘하는 줄 알았는데 감탄했어요.

너도 꽤
소질 있더라.
공짜 칭찬이라
더 감격스럽군.
고마워.
그런 의미에서
나도 한마디….
정말?
이래봬도
사람 보는 눈이
꽤 정확한 편이지.
이번 공연에서
배역 하나쯤
가능할 것
같아.
히야~.
그럼 조소헌이랑 함께
연습할 기회가 생길지도….
아니, 어쩌면…,
내가 소헌의
상대역이 될 수도….

어떤 상상을 하는진 몰라도 그 상대역이 난 아닌 것 같군.
아이 몰라~.
이 처녀, 상당히 내 자존심을 긁네. 나도 꽤 쓸 만한 편인데 도통 관심이 없어.
엄마야!
털썩
툭
상상의 농도가 더 진해지기 전에 그만두시지, 이슬비 양.
쯧쯧…. 제정신이 아니군.
…….

대체 뭘 생각한 거야?
남의 사생활에 너무 신경 쓰지 말아주세요, 스타 씨.
댁의 사생활에 신경 안 쓸 테니 내 앞에서 음흉하게 웃지 마쇼.
괜히 싱숭생숭 해지니까….
나 웃는 것에 댁이 왜 싱숭생숭해져요?
괜히 심술이야.
잘 자요.
쾅
I am door

하긴 그래.
내가 심란해질
하등의 이유가 없지.
아차차~.
담배를 끊지 않으면
협조 안 한다고
저 무관심한 낭자가
협박했었지!

연 극
와글
와글
…….

그리 오래
살아온 것은 아니지만
20여년 내 삶에서
가장 활기찼던 시간은
고교시절이 아니었을까?
잠시라도
그 시절로 돌아와
지낼 수 있다니
나는 축복받은 몸이군.

귀여운 애다.
달칵!

끙…
우와—!
드디어 왔어.
우리들의
연극 대본.
가슴이
찡하다~.
나도
배역 하나 정도는
얻을 수 있나
몰라….
탁
자—,
모두 조용히….
안 떠들면
배역 하나 줄지
몰라….
문예부 부장의 도움으로
〈내 짝을 찾습니다〉의
창작 대본을 드디어
마련했습니다.

와
짝짝 짝 짝
연극부
이번 연극은 많은 학생들의 관심을 끌기 위해 아무래도 러브 스토리 쪽을 지향하게 되었고,
러브신 또한 피할 수가 없었습니다.
내 파트너를 구합니다
꺄 아
엉큼해, 고의적이다!
좋아 좋아~!
연극부장, 멋쟁이!
사정이 그러한 만큼,
주인공이 될 세 쌍의 남녀 학생들은 스캔들에 주의해주시길….
우—! 심하다!

조소현에게
저런 유머러스한
면도 있었다니….
잽싸게
적어둬야지.
조소현에 대한
모든것
1. 잘 생겼다
친절하다
뭘 쓰냐?
엄마야!
전에 그랬지?
남의 일에
참견 말라고!
이게…
칫
비밀이
많은 걸 보니
사생활이 복잡한
아낙네구만.

응?
1. 잘생겼다
2. 친절하다
…라고?
내 얘기 아냐?
나에 대한 건
뭐 땜에 적지?
설마 잡지사에
팔려는 건
아니겠지?
아냐, 저 애가
돈을 좀 밝히긴 해도
정정당당하게 벌지
이렇게 비겁한 짓은
안 해.
그럼 대체 왜
적어둔 걸까?
궁금하네.
야, 서민제.
지금 배역 발표
하려는데 혼자
뭔 생각을 하냐?
아무것도….
아, 배역 발표에 앞서
이번 연극의 줄거리와
주인공 성격부터
설명하겠습니다.

## 첫 번째 남자주인공 로미오

셰익스피어의 로미오가 아닌
이 연극에서 가장 모범적인
남성상으로 제시되는 신사입니다.

## 두 번째 남자주인공 페르세우스

여기선 나약하고 우유부단한
그리스 시인입니다.
나중에 안드로메다를 통해
남자다워지죠.

## 마지막 남자주인공 호동왕자

이 사람 또한
비극의 주인공이 아니라
바람둥이 왕족이죠.
낙랑공주가 떠나자 비로소
참사랑의 의미를 깨닫게 되죠.

## 로미오의 상대역 줄리엣

약간 도도하고 건방지지만
아주 착한 여자입니다.

## 페르세우스의 상대역 안드로메다

다소 남성적인 외모를 지녔으며
힘도 세고 강인하답니다.
그러나 마음은 비단결!

## 마지막 호동왕자의 상대 낙랑공주

말괄량이 숙녀지만
사랑하는 마음은 진실하죠.
하나, 나중에 호동의 비인간적인 모습을 보고,
호동의 곁을 떠나기로 결심하는
결단성 있는 아가씨랍니다.

우리가 알고 있는
원래의 이야기를
정반대에 가깝게 또는
상징적으로 각색한 거죠.
이 극본이
마음에 듭니까?
고등학생 작품치곤
꽤나 수준급인걸.
뭔가 메시지도
담고 있고….
내 짝을 찾습니다

아 참!
한 가지
문제점이
있는데….
대단히 미안하지만
배역을 맡게 되는 분은
의상을 직접 준비해
주십시오.
에-에-
너무
하다~.
짜다 짜~!
돈 좀 써라.
후후후~.
의상이야
걱정 없지.

그럼 배역 발표가 있겠습니다.
첫째, 로미오 역엔…,
배역
로미오 : 조소헌
줄리엣 : …
쑥스럽지만 바로 접니다.
우우~
인정해요.
꺄아아
그리고 줄리엣 역엔 이유채.
생각대로군.
하—, 부럽다. 내가 하고 싶었는데….

페르세우스 역엔
임정헌,
씩씩한
안드로메다 역엔
안수정.
와아
어울린다,
어울려—.
맞춤 배역이야.
천생연분!
그리고
플레이보이 왕자
호동엔 서민제.
응?

마지막으로
호동의 상대역인
낙랑공주엔 이슬비.
에게…,
나?
와아
내가 배역을?
가만, 내가
낙랑공주라면….

짝 짝
짝 짝 짝
으아악—!
안 돼!
짝 짝 짝
짝
짝
짝 짝 짝 짝

슬비야, 저녁 먹어!
배 안 고파요. 나중에 먹을게요.
…웬일이지?
평소엔 필사적으로 챙겨먹더니?
냠냠
민제야, 학교에서 무슨 일 있었니?
옛?
아…,
아뇨.
차마 나 때문이라고 말 못하겠다.

콕
콕
콕
콕
이 얄미운 녀석아.
내가 소헌이 짝이
못된 건 그렇다 쳐.
그렇지만 왜 하필
이 사람이냐고, 왜~.
파
파
팍
팍!
잉—.
내가 무슨 잘못이야
관둬라 관둬—.
이쪽도 내 상대역이
되고 싶어 된 것도
아닐 텐데….

내 짝
— 연극부용 —
내 짝을
찾습니다… 라~.
털썩
어휴~,
대사가 엄청나네.
다 외울 수
있을까 몰라.
중얼 중얼

으아아아악
지나가던 사람
푸슛
뭐, 뭐야?
무슨 일이야, 슬비?
대… 대본….
응?
대본이 뭘…?

뭐가
잘못됐나?
뭐야, 이깟
키스신 때문에
그러는 거야?
그… 그럼 그게
아무렇지 않다는
거야?
뭐가
어때서?

뭐가 어때서라니….
말도 안 돼,
세상에….
불량스런
남자!
그런 눈으로 보지 마.
역을 맡은 이상 우린 배우야.
그보다 더한 연기가
있다 해도 필요하다면
해야지, 안 그래?
난 이 배역
철저히 연기
해낼 거야,
힘껏—.
그러니
노력합시다,
내 애인님.

정말이니, 그게?
슬비야, 실화냐?
헉
어느새 나타난 열입 쌍둥이
뭐… 뭐가?
너네 연극에 러브신 많이 나온다며?
연극부 애들이 신나서 난리더라?
참, 너도 배역 맡았지?
러브신 있니? 너도 있어?
아하…, 그, 그것이….
짹 짹
짹 짹
짹 짹 짹 짹 짹
짹 짹 짹 짹
짹 짹
짹 짹 짹

있구나!
너도 러브신 있어!
찐~하냐?
으, 응….

대답, 대답~.
가… 가벼운
키스신 정도….

끼야—!
정말이야!
끼야—!
끼야—!

이 좋은 소식은 공유해야 마땅하지!
얘, 사람이란 자고로 입이 무거워야 하는 거야.
자… 잠깐만, 얘들아—.
쌩
아—휴. 괜한 문제를 만든 것 같아.
짠—
…….

뭐, 뭐지…,
저 음험한
표정들은…?
안녕?
슬비야.
안녕?
좋겠다.
그 나이에 벌써
러브신이라니….
키스 잘해라,
잉?
켁!
으~.
이 웬수 같은
쌍둥이들~.
이 놀라운
파급력이라니….

그 애들은
열입 쌍둥이가 아니라
백입 쌍둥이야!

씽—.
저를 기억해주세요.
이번 연극에서
키스신이 있는
배우올시다.
나의
선물이지롱~

너 연극부
대본 봤냐?
응, 화끈하던데.
연극 빨리 보고 싶다.
근데 학교 연극에서
그런 거 해도 되나?
터덜
터덜
휴우우―.
연극부로 가는
발걸음이 이리도
무거울 줄이야.

야, 민제,
네 연인이
맥없이
걷고 있어.
뭐? 어디?
아하~.
헤~, 아직도
붙이고 있잖아.
역겹고
메스꺼워서
어떻게 참지….
하루 종일
붙이고 있다.
천천히 와.
난 먼저 가서
내 연인을 달래
줄 테니까.

헤이~,
낙랑공주.
윽!
저놈의 내 위장을
자극하는 소리.
학교에선
아는 척 말자고
입술이 부르트도록
경고했잖아…요.
민제가
말 안 하던데….
그리고 지금은
동생이 아닌
내 상대역을
부른 거야.
저를 기억해
주세요
이번 연극에서
키스신이 있는
배우 뽑시다
왜 아침도
안 먹고 등교해?
고모님
걱정하시잖아.
툭
휴지통

헤~.
민제 녀석,
넉살도 장난
아니네.
뭔소리여~,
그대는 영원한
내 사랑인데….
시끄러워…요.
일일이 남 일에
참견하지 말아요.

그러나 학교 방침상
학생 연극에서
키스신이 허락될 리는
없었던 것이다.
그리하여
편법을 쓰게
되는데….

오!
내 사랑!
나의 호동!
앗!
자, 잠깐
왜 안 나오는
거야?
콰당
미안 미안.
팻말이
헷갈려서….
에구구
말을 하고
피하든지 해야지,
나 참~.

짜ー ー 안
지금은 Kiss 中
심의규정상 컷트
팻말 뒤의 상황
제법 재미있다, 그치?
손에 힘을 줘버려?
제법 괜찮은 생각인데….
하지만 로망이 없어…, 로망이.
어째 다른 데서 본 것 같기도 하고… 2%가 부족하네.

놀푸른
남녀
고등학교
으~
어쩜! 어쩜! 재가 민제 맞니?
아~, 같은 움직임인데 느낌이 달라….
잘생긴 줄이야 알았지만 연극에 저 정도 재능이 있을 줄이야….
라이벌이 왜 이리 많은겨!

저, 저럴 수가….
어쩜 저렇게
달라졌을까….
저 표정, 저 몸짓,
하나하나가 살아 있는
예술이고 화보야.

바로 몇 달 전까지도
찌질하기 그지없던
녀석인데….
?
도무지 이해가 안 돼!
민제 녀석이 저렇게
날뛰는 건 내 계획에
없었단 말이다!
나를 돋보일
배경으로
딱이다 싶었는데
이게 뭐야!
저 녀석…,
약이라도 한 거
아냐?
어머!
이 닭똥 같은
땀 좀 봐.
민제야,
수건 받아.
하긴 그만큼
열심히 하는데….

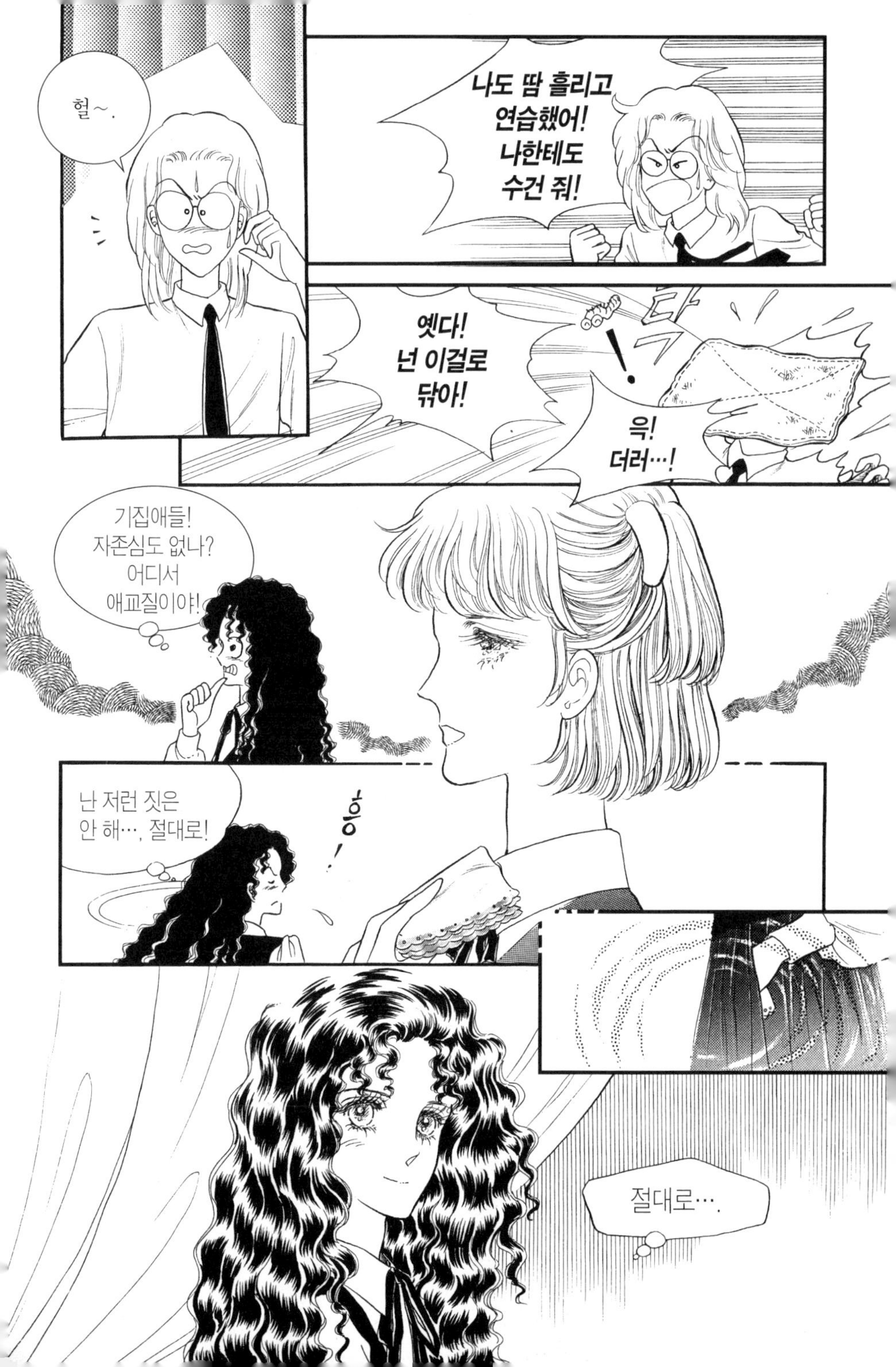
헐~.
나도 땀 흘리고 연습했어! 나한테도 수건 줘!
옛다! 넌 이걸로 닦아!
!
익! 더러…!
기집애들! 자존심도 없나? 어디서 애교질이야!
난 저런 짓은 안 해…, 절대로!
흥!
절대로….

여기구나!
이 학교에서 사람 머리만 한 구멍 뚫린 나무는 이것뿐이랬지?
그런데 어디에….

나 찾는 거니?
아! 있었구나!
와줘서 고마워. 안 나오면 어떡하나 싶었는데….
그럴 리가…. 어느 분의 부탁인데.
민제 본인이라면 청심환 먹고 3시간 전부터 와 있었을 거다.

그런데 쪽지까지 보내면서 여기서 만나자고 한 이유가 뭐야?
그전에 한 가지 물어봐도 되니?

물론이야. 뭐든지 기꺼이 대답해줄게!
이 아가씨한테 친절하게 해놔야 나중에 민제가 좋아하겠지?

지금 상대역 맘에 들어?
상대역이라면, 이슬비…?

끄덕 끄덕
갑자기 그런 건 왜? 슬비랑 아는 사이인 걸 눈치챘나?
뜨끔.
그건 아닐 텐데…. 뭐라 대답하지?
글쎄…, 며칠 안 돼서 잘은 모르겠지만 아무 생각 없는데….
왜?
달리 마음에 드는 애가 없다면,
전에 했던 네 얘기 받아들일게.

전에 한 얘기라니…,
민제에게 이런 건
들은 적 없는데?
후후….
내 말에 많이 놀랐겠지.
그런데 왜
대답이 없지?
그때 교제 신청
거절했던 것
때문에 그래?
화난 거야?
아무리 그래도
설마 그새 마음이
식은 건
아니겠지?

교제…,
교제라고?
저어기…,
에헴….
너… 너무
갑작스러워서
뭐라 해야 할지
모르겠어.
너무나도 기쁘고
황홀한 제안이긴
한데…,
하—, 얘가 이젠
튕기기까지?

좀 전에 내가 너무 변했다고 했지?
만약 내가 예전 모습으로 되돌아가면 어떡해?
그런 나를 너는 좋아하지 않을 거잖아.
으응…?
뭐?
솔직히 말하면 내가 왜 이렇게 변한 건지 나도 잘 몰라. 그리고 또 언제 예전의 나로 되돌아갈지도 모르겠고….

그래서 너의 제의가 기쁘지만
그러자고 대답하기 두려워.
내가 다시 옛날처럼 되면
네가 실망할까 봐.
…그러니까….
그럴 수도
있구나!
2학기 때 다시
말해줄래?
그때도 변함이 없다면
기꺼이 승낙할게.
만약 다시
이전 모드로
돌아가면
여러모로
귀찮겠지?
…그게 좋겠다.

그래도 우리…
친구인 건 맞지?
당연하지.

Iam a STAR!
저녁의 솔비네 집.
헤이—,
언제까지 찍어야
직성이 풀리겠냐?
지금까지 찍은
사진만 팔아도
떼돈 벌었겠다.
그리고 내가
인기 좀 있다 해도
그 많은 사진을 다 살
팬은 없다고 봐.
찰칵
걱정 마시죠.
구매자는 내가
잘 아니까….
누군데…?
찰칵
유채 외 다수!

그래!
그 처녀를 잊었군!
…….
생각해보니
괘씸하군.
유채 같은
눈부시게 예쁜 애도
나한테 빠졌는데
저 처녀는 뭘 믿고
저렇게 도도하지?
사진찍기 위해
걸어놓은
시트천.
찰카

내가 오늘 왜
늦었는지 알아?

왜 늦었는데?

오늘 유채에게서
교제 신청 받았어.
찰칵
그래?

축하해!
이런,
결국 10통
다 썼네!
아무 관심도
없군!

오늘은 그만하죠!
모레까지 저번에
찍은 사진에다
사인해둬요.
그럼 난
이만 갈 테니
푹~ 쉬쇼,
민제 닮은꼴!
탁
……
푹 쉬라고……?

민제
닮은꼴이라고!
탁
털석,
…내가 뭐라고
대답했는지 전혀
안 궁금하다는 거지?

그렇다는 건
결국…,
내게 조금도
관심이 없다는
말인데….
이거 엄청
자존심 상하네.

언제 어디서나
선망의 대상이던
나를…
무시하다니….
혹시 사촌과
너무 닮아
남자로 보이지
않는 건가?
푸헤취~!
누가
내 얘기하나?
민제
아냐!
날 볼 땐 확실히
나를 보지
민제로 보진 않아!
그런데 왜
무관심하냐고!
뻑
뻑
어휴~,
슬비 녀석 때문에
골치 아파 죽겠다!

가만!
벌떡
소녀다운 면이 있는가?
—천만에.
맘이 고운가?
—그럴 리가.
성격 괜찮은가?
—무슨 말씀을.
인간성?
No.
사교성?
No.
애교는?
No.
내가 뭣 때문에
슬비 문제로
골을 썩이지?

결론 =
한마디로 전혀
아니올시다—
로구먼.

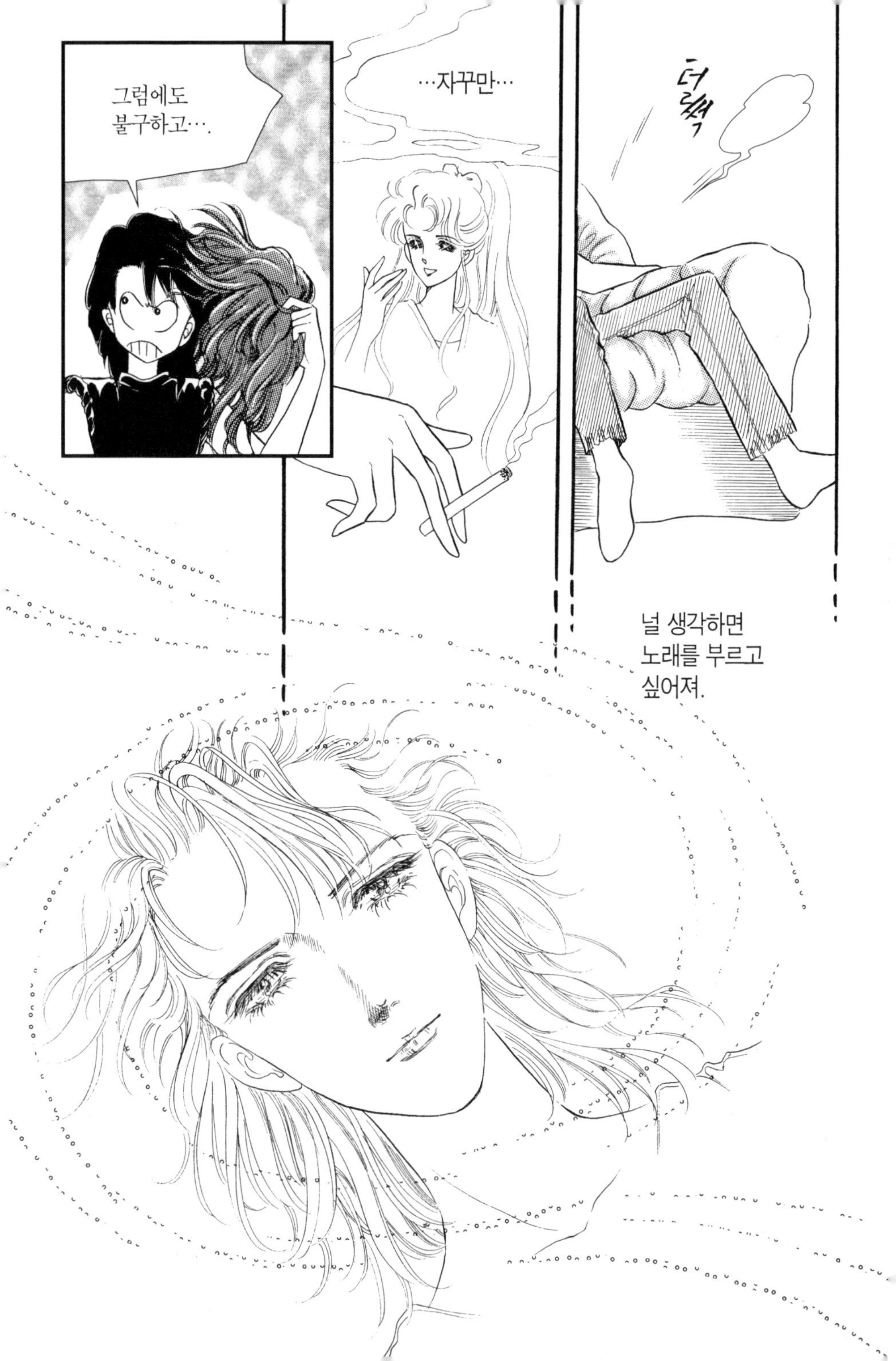
그럼에도
불구하고….
…자꾸만…
털썩
널 생각하면
노래를 부르고
싶어져.

노래라고요?!
나… 나더러
노래 연습을 하라고요?
팬레터
하지만
콘서트는 한참
남았잖아요.
쯧!
그럼 가수가
노래 연습하지
연기 연습하리?

그래,
미처 그것까진
생각 못했어.
아버지도
일선에서 뛸 때는
늘 그랬는데….
뭔 소리를
하는 거냐!
그럼 넌
콘서트 당일
너 혼자
반주 맞추고
안무하고
할 거냐?
헉
어떡하지…
훌쩍…
이 녀석이 대체
왜 이러는 거야?
전에는 자기가 먼저
연습하더니―!
씩씩
씩씩
거지 아닌
From 거지…

노래라면 온몸에
가시가 돋는데…….
워쩍혀…
으쯔끄나?
어쩐다냐….
며칠 후면
한빛 형을 만나니까
어떻게든 오늘은
버텨봐야지.

재, 오늘따라 왜 저렇게 안절부절입니까?
내가 어떻게 알아?!
오늘도 확실히 살짝 맛이 간 상태의 한빛이군.
그럼… 지금이 사인을 받아낼 좋은 기횐데….
자—, 첫 곡부터 들어갑니다!
드럼!
아놔, 나도 몰라!
으악!

작가주 : 민제가
노래 부르는 소리임.
빠지직
쨍그랑!
이컵을
봐 주세요♪

헥
헥
휘잉!
봐라, 한빛!
생전의 컵 모양
바로 이 컵이 네 노래 소리에 투신자살을 한 그 애절한 컵이다!!!
히-

만약 그 노래를
네 팬들이 들었다고
생각해봐라!
그 끔찍하고 처참한
광경을―!
그렇게 못 불렀나?
헤… 헤헤….
쉬다가 갑자기 노래를
부르려니까….
까옥!
너무 쉬다가 불러서
그렇게 됐다 이거지?
애꿎은 날달걀은
한 판이나 먹고 말이지….
Oh! Yes..

100, 99, 98…… 81, 81…… 74, 73, 72, 71…… 60…… 58, 57, 56…… 29, 28, 27…… 10, 9, 8, 7, 6, 5, 4, 3, 2, 1… …0.
좋아, 좋아. 노래는 그렇다 치고….
너의 그 유명한 춤 실력은 어디로 갔는지 설명해 주지 않을래?

춤 실력이요? 아하! 그때 춤을 왜 못 췄냐 하면요….
DANCE
OH NO
졸도한 무용선생님의 발

어젯밤부터 갑자기
신경통, 치통,
류마티스에다…
중풍 초기
증상까지
나타나는
바람에 그만….
스윽
믿기
어렵겠지만
사실인데….
휙
한빛!
오늘 네가 한 말은
모두 거짓말임을
안다.

악! 큰일 났다! 눈치 챘나?
난 모든 걸 눈치 챘다. 너의 목소리는 이미 죽은 거야…. 결국 네 가수 생명은 끝난 거지.
엥?
그러나 모든 가능성이 사라진 건 아니야.
바로 이 TV 출연 계약서에 사인하는 것이다!
계약서
한빛, 제발 사인하렴. 그럼 대충 립싱크해도 되잖아.
아! NO

터어벅…
터어벅
흐규~.
애당초
연극부에 든 게
잘못이었어.
추 — 욱
소현이 얼굴은
가뭄에 콩 나듯이 보고,
그 지겹고 지겨운 인간은
오뉴월 비 오듯
봤으니….
더구나 지금 또
봐야 하잖아.

웬 신발들이
이렇게 많다지?
어?
아 참!
오늘이
증조할아버지
제삿날이구나.
모두들 오셨겠네?
Help
me

엑!
끼랴—!
이 찰거머리들
좀 떼어줘.
나도 나도.
아앙~.
아,
난 남자 품에
안겼다.
나도
무등 태워줘,
잉—.
내 거야,
이리 내!
싫어~!
내 거야!

톡 톡
완전히 아이들 밥이군요.
제발, 슬비~! 나중에 비웃고 어떻게 좀 해줘….
알았어. 하지만 옷 갈아입고 어른들께 인사드리고 올 때까지 기다려.

오, Non~ No! 안 돼~! 제발 나를 버리지 마…!
Bye Bye
킥킥~. 고소해라.

오셨어요,
숙부님,
고모부님들!
아, 그래.
우리 구두쇠
질녀님!
어때,
한판 할까?
※잠깐!
왜 숙부와 고모들이
있느냐…,
3촌 아닌
5촌 친척도
숙부&고모라
부르죠.
(오늘 제사의 주인공)
증조할아버지
증조할머니
할머니
할아버지
작은 할아버지
고모할머니
엄마 서지혜
아빠 이푸르매
나 이슬비
슬비의 5촌 당숙&당고모
※즉 이분들인 것이다.
아녜요,
전 수렁에 빠진
민제를 구해야죠!
즐겁게
노세요.

제삿날이 오면
힘든 건 역시
여인들이야.
남자분들이
저렇게 즐기시는
동안…,
엄마와 숙모님,
고모님들은
제수 준비 하느라
정신이 하나도
없으시겠지.
가엾은
여성들…!
쯧!
그리고 가엾은
저 총각…!
이랴—!
이랴—!
애… 애들아,
대충 끝내자…,
…응?

아!
슬비….
전원집합!
악! 마녀 큰누나.
앗! 빨리 가자.
똑바로 못 서? 앙?

자, 차례대로
번호 부른다!
실시!
1번
이희경.
2번 이가을.
3번
김동현.
4번
최하늘.
5번
윤상흠.
대단한데….
어떻게 저 꼬마들을
저렇게 만들었어?
그게 다 큰집언니
18년간에 걸친
경험이지.

'법은 멀고 주먹은 가깝다' 라는 법칙이지.
이 말썽쟁이 꼬마들을 제압할 수 있는 길은 하나뿐이야.
에고…, 갑자기 빈혈이….
무서워잉!
나도 강한 자가 좋더라.
우와~. 누나 멋진데….
성부성자… 도와주세요.
으~, 저 독기어린 눈 좀 봐.

흥!
이 녀석들―.
그렇게 아부해도
소용없다.
자! 언제나대로다.
1 대 1의 격투기 준비!
엥?
격투기?
슬비, 애들에게
지금 싸움 준비
시키는 거야?
싸움을 시켜야
몸도 튼튼해지고
빨리 지쳐서
금방 잠든다고.
당연하지.
그렇구나.

자~, 준비!
핏,
이 장면에서는
"황야의 무법자(?)"
주제곡이 흐르고 있다!
시~작!

와-아
와지끈
뚝딱
아야야!
야잇
너죽고 나다치자
호호… 호…. 드디어 시작됐군그래.
그러게 말이에요. 이번에도 치열하겠죠?
엉?
희경아, 가을아, 제발 무사해다오.
가구들이 무사할까 몰라….
어쩐다니~. 안 그래도 병원에 가야 할 애를….

스윽
다 끝났어?
휴우—.
겨우!
여기는 슬비방임♡

자시:
밤 11시
~1시
우리 집 전통이지.
제사란 원래 자시에
지내는 거래.
요새도 저렇게
제사를 지내다니….
그것도 한밤중에
말이야.
대체적으로
제사 지낸다 해도
일찌감치 지내고
말던데….
으으~
악!
안 돼!
풀썩!
가장 이른 시간에
제사를
모신다는 건가?
우와앗!

무, 무슨 짓…!
앙앙… 앙…. 큰누나…, 곰이… 곰이 날 깔고 앉았어.
아냐…, 아냐, 괜찮아. 꿈이야, 동현아, 자장자장….
아파잉…. 누나가 그 곰 때려줘….
그래, 그래…. 그러니까 어서 자…. 착하지….

스윽
잊었어.
침대 속에 꼬마 악당이
여섯이나 있다는 걸….
어쩔 수 없어!
방마다 손님이
가득하니까.
아기들은 여기서
우리랑 있어야지.
잘 자라,
꼬마 악당아.

……….
아기들을
좋아하는
모양이지?
천사들이거든.

헤…
돈만 밝히며
애들에게
싸움시킨 사람
입에서 나온
말이라 믿지
못하겠는데….
못 믿겠으면
믿지 마.
베
!

?
…….
넌 겉으론 돈만 밝히고 사납지만 진짜 마음은 여리고 착한 것 같아.
아부하지 말아요.
그런 식으로 아부한다고 해서 하루에 배정된 사인이 줄어들 거라고 생각하면 그건 아직도 나를 모른다는 소리니까.
크

처음이야…!
뭐가?
연예인이 된 후
같이 있어도
부담없이 지내게 된
여자는….
비록 내 아부에
속아 넘어가진
않았지만….
하 하 하
킥
킥

으응~
헉!!
코르르…
히유~.
꼬마 사탄이
깰 뻔했다.
물어볼 게
있는데….
돈 모으는 데
왜 그렇게 악착같아?
…….

…….
…….
에잇~! 어차피 몇 달 후면 만날 일도 없을 테니까.
이건 비밀이니까 남들에게 말하면 안 돼요!
알았어
맹세!
…있지…,
난 돈을 엄청 많이 모아서 황혼의 집을 만들 거야.
황혼의 집?

언젠가
공원에서…
무료하게 앉아 있는
노인분들을
보았던 적이 있어요.
무척이나
쓸쓸해 보이던
그 모습에
충격을 받았죠.
왜…
일생을 열심히
살아온 분들의
노후가 저리도
쓸쓸한가…?
무언가
잘못된 거다.
저분들은 젊은 날의
노력의 대가로
좀 더 평온하게
온화한 삶을
이어가야 한다고.

그나마 저렇게 시간을 보낼 여유조차
없는 분들을 생각하면 더 답답하죠.
사회 복지 제도가 좋아지긴 했지만
아직도 이런 저런 이유로
그 혜택을 받지 못하고,
폐휴지라도
주워 팔아야
생활이 가능한 분들도
굉장히 많대요.
그렇게 사회에서
고립된 채
힘겹게 지내다 병들어
시간이 많이 흐른 후
고독사한 시신으로
발견되었다는…
그런 뉴스를 볼 때
너무 가슴 아팠어요.
우리도 결국
언젠가는 늙고
병들 텐데…
그런 걸 생각하면
무섭기까지
했고요.

지는 해가
마지막 남는 빛을
불살라서
황혼이 더욱
아름답다고 하죠.
우리의 오늘이
있게 해주신
어르신들께도
마지막으로 그런
아름다운 행복을
드릴 수 있다면
얼마나 좋을까요?
아니,
행복의 기준은
다 다를 테니
모두를 행복하게
할 수는 없다 해도,
적어도 갈 곳 없는 분들이
고단한 몸을 뉠 수 있는
작은 공간이라도 마련하는 것….
그것이 나의 꿈이에요.

…….
뭐야, 갑자기 저런 표정을…?
이제 해도 돼.
비웃거나 조롱해도 된다고.
뭘?
어째서?
내가 친구들에게 이 이야기를 했을 땐 모두들 비웃었다고. 혼자서 바위산을 옮기려 한대나?

그래서 이후부턴 입을 다물었다?
하지만 난 비웃지 않아.
정말?
아무리 큰 바위산이라도 많은 사람들이 옮기려 한다면 옮겨질 수밖에….
슬비 같은 사람이 많아지면 되잖아?
나는 슬비와는 조금 다르지만 비슷한 생각을 갖고 있는 사람이거든.
황혼의 집과는 좀 다른 해 뜨는 공간이라고나 할까?
해 뜨는….
혹시 어린이를 위한…?
역시 금방 알아맞히네.

네가 말한 것처럼
사회 복지 제도나
정부와 사회단체의
힘만으로는 부족하거든.
불행한 어린이는
아직도 너무나 많아.
그 어린이들의 정신이
병들기라도 한다면
나라의 장래 역시 병들겠지.
아니…, 그런 걸 떠나서
어린이들이 불행하다는 것은
슬픈 일이야.
세상의 행복이 그저
그림 속 이야기 같은
그런 아이들….
너무 슬프잖아.
그래서 행복한 시작을
주고 싶었어.

아픔으로 시작되는…
그런 기억은
없는 게 좋아.
우리 제법
잘 맞는 것
같지 않아?
너는 지난날
나라의 기둥이었던
이를 위하여…,
나는 장차 기둥될 이를
위하여 꾸미는 공간.
혹시…
어릴 때…
불행했어요?

노코멘트.
아—,
남의 비밀 캐어놓고
자기 비밀 감추는
치사한 남자에게
협력해야 할까?
말아?
은근히
사람을 궁지로
몰아넣는단
말이야.
내가
한 총명합니다.
그래.
난 불행했어.
왜 그렇게 잘 살아서
못 사는 사람들의
마음을 몰랐을까….
왜 이렇게 잘생겨서
나보다 더 잘생긴 사람은
볼 수 없는 불행한
사람이 되었을까….
왜 이렇게 가창력이
좋아서….
됐어—!
얘기하기 싫음
그만둬요!
그런 말로 정말
불행한 사람들
욕보이지
말고요.

보기 싫어라.
언제쯤 저 얼굴
안 보게 되나?
모레
진짜 민제
돌아온다.
…….

바꿔치기…
이제 끝나요?
아니, 하루만.
민제가 대신할 수 없는
중요한 일이 있거든.

이대로
작별이 아니라
기쁘지?

네~, 네~.
하루라도
덜 보게 되어
아주 아주
기쁩니다.

『또 하나의 이야기 1권』 끝

LEE MI RA SPECIAL EDITION

# 또 하나의 이야기 1

2023년 4월 25일 초판 1쇄 발행

**저자** 이미라

**발행인** 정동훈
**편집인** 여영아
**편집책임** 최유성
**편집** 양정희 김지용 김혜정
**디자인** 형태와내용사이

**발행처** (주)학산문화사
**등록** 1995년 7월 1일
**등록번호** 제3-632호
**주소** 서울특별시 동작구 상도로 282 학산빌딩
**편집부** 02-828-8988, 8836
**마케팅** 02-828-8986



**ISBN** 979-11-411-0338-5 (07650)
**ISBN** 979-11-411-0337-8 (세트)

**값** 16,500원